Ce livre appartient à

RETROUVEZ Le Clan des Sept
DANS LA BIBLIOTHÈQUE ROSE

Le Clan des Sept va au cirque
Le feu de joie du Clan des Sept
La médaille du Clan des Sept
Le Clan des Sept à la Grange-aux-Loups

Enid Blyton

Le feu de joie du Clan des Sept

Illustrations de Denise Chabot

HACHETTE

L'ÉDITION ORIGINALE DE CET OUVRAGE
A PARU EN LANGUE ANGLAISE
CHEZ HODDER & STOUGHTON, LONDRES,
SOUS LE TITRE :

SECRET SEVEN FIREWORKS

Couverture illustrée par Nadine Van der Straeten

Hachette, 43, quai de Grenelle 75015 Paris.

Chapitre 1

Le Clan des Sept n'existe plus

C'était le début des grandes vacances. Pierre, Jacques et Jeannette revenaient d'une promenade, un beau jour de juillet, quand ils entendirent une galopade derrière eux. C'était Suzie, la sœur de Jacques. Elle les rejoignit.

« Bonsoir, vous trois ! s'écria-t-elle. Le Clan des Sept existe-t-il encore ? Vous ne tenez plus de réunions, n'est-ce pas ?

— Le Clan des Sept existe toujours, déclara Pierre. Ne dis pas de bêtise ! »

Suzie se mit à chanter une petite chanson de sa composition :

Le Clan des Sept n'existe plus,
La remise reste fermée.

Elle ne s'ouvrira jamais.
Turlututu, turlututu !

« Suzie, espèce de peste ! s'écria Jacques en colère. Comment oses-tu chanter en pleine rue des inepties sur le Clan des Sept ! Tu ne sais pas ce que tu dis !

— Bien sûr que si ! riposta Suzie en sautillant devant eux. Vous ne vous êtes pas réunis depuis des siècles. Jacques a perdu son insigne. Vous ne pouvez plus vous servir de la remise de Pierre. Tu vois que je suis bien informée. »

Pierre, Jeannette et Jacques la regardèrent avec indignation.

« Et comment es-tu si bien informée ? demanda Pierre. Avoue que tu nous espionnes !

— Pas du tout ! Ma balle est tombée par-dessus votre mur, Pierre. Je suis allée la chercher, j'ai vu ta remise pleine d'oignons. Des oignons ! C'est donc que vous ne pouvez plus vous réunir. J'ai une raison particulière pour vous demander si le Clan des Sept existe encore ou non. »

Pierre s'arrêta net. Les autres l'imitèrent. Que manigançait Suzie ? Pourquoi était-elle si désireuse de savoir ce que faisait le Clan des Sept ?

« Peut-on la connaître, ta raison particulière ? interrogea Pierre.

— J'ai envie de fonder un clan secret à moi », déclara Suzie d'un ton solennel, mais avec une lueur malicieuse dans les yeux. « Mes deux amies, Denise et Liliane, en feraient partie, et...

— Dis adieu à tes projets ! interrompit Pierre. Le Clan des Sept existe toujours. La preuve, c'est que nous devons nous réunir samedi matin. N'est-ce pas, Jacques ? »

Jacques savait très bien qu'aucune réunion n'était prévue, mais il se garda de contredire Pierre.

« Oui, répondit-il. À dix heures, n'est-ce pas ?

— C'est cela, approuva Pierre en donnant à Jeannette un petit coup de coude.

— Vous serez obligés de vous boucher le nez, reprit Suzie. Tous ces oignons ! Pouah ! Voulez-vous que je vous aide à débarrasser la remise ?

— Non ! » s'écrièrent Pierre et Jacques en même temps.

Jeannette donna une petite tape à Suzie.

« Va-t'en ! ordonna-t-elle. Toi, capable de fonder un clan ? Jamais de la vie !

— Tu verras ! » riposta Suzie.

Elle s'enfuit. Furieux, les trois autres la regardèrent disparaître au coin de la rue.

« Tu n'as aucune autorité sur ta sœur, Jacques, constata Pierre. Moi, quand je donne des ordres, Jeannette m'obéit.

— Parce que je le veux bien ! » protesta Jeannette vexée, et elle s'éloigna, drapée dans sa dignité.

« Ah ! ces filles ! murmura Jacques. Elles sont toutes les mêmes !

— Mais Suzie est la plus exaspérante de toutes ! décréta Pierre. Écoute, Jacques, il faut absolument qu'elle ait lieu, cette réunion. L'ennui, c'est qu'il faudra transporter ces oignons ailleurs. J'espère que papa me donnera la permission.

— Nous arriverons tous à dix heures moins le quart et nous t'aiderons, promit Jacques.

— Entendu ! répliqua Pierre. Dix heures moins le quart. Quant à Suzie, tu peux lui dire que, si elle ose paraître à la porte de notre remise, je... je... je ne sais vraiment pas ce que je lui ferai.

— Quel sera le motif de notre réunion ? demanda Jacques. Il ne s'est rien passé. Pas de mystère, rien d'intéressant. De quoi parlerons-nous ?

— Nous trouverons », assura Pierre, et une idée lui vint brusquement à l'esprit. « Dans dix jours, c'est le 14 Juillet. Pourquoi ne pas le célébrer nous-mêmes par un feu d'artifice ?

Si tout le monde est d'accord, il faudra faire des économies pour acheter des fusées.

— Excellente idée ! Ce sera l'objet de notre réunion. Il n'est que temps de commencer nos préparatifs.

— Retrouve ton insigne, conseilla Pierre. Suzie prétend que tu l'as perdu.

— Quelle rapporteuse ! Je ne l'ai plus. Il est resté épinglé à ma vareuse que maman a apportée à la teinturerie. Quand je m'en suis aperçu, j'ai poussé les hauts cris et Suzie m'a entendu !

— Demande à ta maman de t'en faire un autre, ordonna Pierre. Je ne permets à personne d'assister à une réunion sans insigne, tu le sais.

— Oui. J'aimerais bien que tu perdes le tien un jour, tu verrais comme c'est amusant ! soupira Jacques. Comment aurais-je pu deviner que maman ferait nettoyer ma vareuse sans me prévenir ? »

Pierre lui donna une amicale bourrade.

« Ne te fâche pas ! Dis à Georges que nous nous réunirons samedi, veux-tu ? Je me charge de Colin. Jeannette avertira Pam et Babette.

— D'accord ! répliqua Jacques, tandis que Pierre ouvrait la porte de son jardin. Un bon point pour Suzie ! C'est grâce à elle que nous aurons une réunion. À bientôt, Pierre !

— À bientôt ! » répondit Pierre.

Il courut à la remise où les Sept avaient l'habitude de se réunir. Quand il ouvrit la porte, il poussa du pied les oignons qui roulaient devant lui.

« Attendez samedi ! grogna-t-il. Vous déménagerez d'ici en vitesse ! »

Chapitre 2

Le mot de passe

Le samedi matin, Jeannette et Pierre allèrent chercher trois brouettes à la ferme de leur père. Émile, le jardinier, avait manifesté un vif mécontentement en apprenant que la remise serait débarrassée.

« Papa nous a donné la permission, déclara Pierre. Il nous a dit de mettre les oignons dans l'ancien poulailler.

— Il y pleut ! protesta le jardinier.

— Nous étendrons une bâche sur le toit, expliqua Jeannette. Voyez-vous, Émile, cette remise nous appartient. Nous y tenons nos réunions.

— Il y a des semaines que vous n'y avez pas mis les pieds, grommela le jardinier. J'ai du travail ailleurs. Débrouillez-vous pour porter les oignons dans le hangar. Ça vous prendra un bout de temps !

— À sept, ce sera vite fait ! répliqua Pierre.

— Dommage que vous ne m'aidiez pas plus souvent ! » se plaignit Émile en s'éloignant, son râteau sur l'épaule.

« Il n'est pas content, fit remarquer Jeannette. Voyons... trois brouettes ! Il nous faut aussi des pelles !

— Tu as raison, approuva Pierre. Je vais en chercher. Si les autres arrivent pendant ce temps, demande-leur le mot de passe et vérifie qu'ils aient leur insigne. »

À peine avait-il tourné les talons que Colin et Georges se présentèrent.

« Bonjour, dit Jeannette. Le mot de passe, s'il vous plaît ?

— Il y a si longtemps que nous n'avons pas eu de réunion que nous l'avons oublié, répondit Colin. Nous le répéterons après les autres. Nous n'en avons besoin que pour entrer dans la remise. Tu t'en souviens, toi, Jeannette ?

— Oui, répliqua Jeannette, mais j'ai été obligée de regarder dans mon carnet. Je ne te le dirai pas, parce que Pierre ne serait pas content. Avez-vous vos insignes ? Bien. Pierre m'a ordonné de vérifier... Voici Pam et Babette. Bonjour, vous deux. Le mot de passe, s'il vous plaît ? »

Colin et Georges tendirent l'oreille.

« Cadet Rousselle ! répondirent ensemble les deux filles.

— C'est bien cela, approuva Jeannette. Le mot de passe, les garçons ? »

Colin et Georges le répétèrent. Ils étaient maintenant en règle.

Pierre revenait, chargé d'une grande pelle et de deux petites. Moustique, l'épagneul mordoré, l'accompagnait.

« Jacques n'est pas encore arrivé ? demanda Pierre. Ah ! le voici. A-t-il son insigne ? Il l'avait perdu. Je lui avais recommandé de prier sa mère de lui en fabriquer un autre.

— Bonjour ! Bonjour ! s'écria Jacques. Cadet Rousselle ! Je suis le dernier ? Excusez-moi, c'est à cause de mon insigne. J'ai demandé à maman de m'en faire un...

— Mais c'est ton vieux que tu portes ! interrompit Jeannette. Il est tout froissé !

— C'est vrai, reconnut Jacques. Figurez-vous que c'est Suzie qui l'a retrouvé. Le teinturier l'avait mis dans la poche de ma vareuse. Elle a eu l'idée de regarder. J'ai été bien content parce que maman était occupée. Il aurait fallu que j'attende.

— C'est bien la première fois que Suzie nous rend un service ! constata Georges, étonné. Nous sommes maintenant au complet, dépêchons-nous de nous débarrasser de ces oignons !... »

Il ne fallut pas longtemps aux Sept pour entasser les oignons dans les brouettes et les porter dans l'ancien poulailler. La corvée fut bientôt terminée. Jacques et Pierre étendirent la bâche sur le toit.

« Retournons à la remise, ordonna Pierre. Elle a besoin d'un bon coup de balai. »

À leur grande surprise, ils trouvèrent la porte fermée. Moustique les attendait dehors. Que voulait dire cela ?

Pierre essaya d'ouvrir. Mais quelqu'un avait tiré le verrou à l'intérieur. Une voix familière s'éleva, avec un petit rire exaspérant.

« Le mot de passe, s'il vous plaît ?

— Suzie ! crièrent les Sept.

— Suzie, comment oses-tu ? ajouta Pierre en secouant la porte. Cette remise est à nous. Ouvre tout de suite !

— Dans une minute. Je ne veux pas la garder, votre remise ! Elle sent l'oignon ! répondit Suzie. Mon clan à moi ne se réunira pas dans une remise qui sent l'oignon. Nous...

— Suzie, je t'ordonne de nous ouvrir ! hurla Pierre en frappant à coups redoublés sur le battant.

— À une condition, répliqua Suzie, c'est que vous promettiez de me regarder partir en silence, sans me toucher. Sinon, je reste ici toute la matinée. Je serai tout un clan à moi seule ! »

Pierre comprit qu'il était vaincu.

« Bon, nous ne te dirons rien, mais tu nous le paieras plus tard ! »

La porte s'ouvrit. Suzie sortit en riant. Les membres du Clan firent un effort héroïque pour ne pas l'accabler de reproches. Seul Moustique se permit un petit aboiement.

« Bon débarras ! s'écria Pam quand Suzie eut disparu. Heureusement, Suzie ne fait pas partie de notre Clan ! C'est une chipie ! »

Chapitre 3

Le Clan fait des projets

Les Sept entrèrent dans la remise et regardèrent autour d'eux.

« Nous avons besoin de caisses pour nous asseoir, fit remarquer Jeannette. Pam, viens avec moi, je sais où en trouver. Vous autres, les garçons, balayez la remise, elle est pleine de pelures d'oignons ! »

Quelques instants plus tard, les Sept étaient assis sur des caisses dans la remise, Moustique à leurs pieds. Ils avaient bien le droit de se reposer après tant d'allées et venues avec les brouettes.

« À présent, discutons de nos projets,

proposa Pierre. J'ai pensé que nous pourrions faire un feu de joie et un feu d'artifice pour le 14 Juillet, mais la fête est célébrée en grande pompe à Blainville chaque année. Il y aura aussi un feu d'artifice que nous irons sûrement voir. Pour le nôtre, mieux vaudrait choisir un autre jour.

— On commémore par la même occasion l'arrestation d'un bandit de grand chemin nommé Bélisaire, déclara Pam. À quelle époque vivait-il ?

— Au XVIIIe siècle, répondit Jacques. L'instituteur nous a rappelé cette histoire la veille de la distribution des prix. Bélisaire attaquait les carrosses et les diligences, et il rançonnait les voyageurs. Il faut dire à sa décharge que, s'il les menaçait d'une escopette ou d'un pistolet, il n'a jamais tué personne. Cependant les routes n'étaient pas sûres et les habitants des villages vivaient dans la terreur, car il s'introduisait aussi de temps en temps dans les maisons.

— Et un jour, quelques courageux habitants de Blainville décidèrent de mettre fin à ses activités, ajouta Pierre. Ils lui tendirent une embuscade sur la route et s'emparèrent du brigand.

— Avant de l'envoyer aux galères, ils le promenèrent dans une charrette à travers tout le pays avoisinant, et ce fut le signal de grandes réjouissances, conclut Georges.

— C'est à Blanville que revenait l'honneur de son arrestation, reprit Jacques. C'est à Blanville qu'on la célèbre chaque année, en promenant dans une charrette un mannequin qui est brûlé le soir après le feu d'artifice.

— J'avais un peu oublié tous ces détails, fit remarquer Babette. Mais le défilé du 14 Juillet est toujours très pittoresque et très amusant.

— En quoi cela nous concerne-t-il ? demanda Jeannette.

— Voilà ce que j'ai pensé, expliqua Pierre. Le 14 Juillet, nous participerons aux réjouissances de Blanville. Il y aura la foire avec toutes sortes d'attractions. Le soir, nous assisterons au feu d'artifice et nous verrons brûler le pauvre Bélisaire. Un ou deux jours plus tard, à notre tour nous ferons un mannequin que nous brûlerons et nous aurons un feu d'artifice.

— C'est une excellente idée ! approuva Jacques. Nous élèverons le bûcher dans le pré, à côté de la ferme de ton père, Pierre. Dans le bois, nous trouverons des branches mortes, puis nous ferons partir nos fusées.

— Pour les acheter, ces fusées, il faudra réunir nos fonds, décida Pierre.

— Nous apporterons tout notre argent,

promit Babette. Ma tirelire est presque pleine. Qui sera trésorier ?

— Votons ! » proposa Pierre.

Il prit un carnet, déchira une page et la coupa en sept morceaux qu'il distribua à ses amis.

« Qui n'a pas de crayon ? demanda-t-il. Toi, Pam ? Je vais te prêter le mien. Le trésorier comptera l'argent et le gardera. Il inscrira le total des recettes dans un cahier. Êtes-vous prêts ? Écrivez le nom que vous voudrez. Choisissez quelqu'un qui soit fort en arithmétique. Il ne faudra pas d'erreurs dans les additions et les soustractions. »

Tous sucèrent et mâchonnèrent leur crayon.

Un bon trésorier ! Un fort en arithmétique qui, dans les opérations, n'oublierait pas les retenues !

Puis chacun inscrivit un nom sur un bout de papier, le plia et le tendit à Pierre. Il les lut l'un après l'autre et se mit à rire.

« Ça, alors ! s'écria-t-il. Vous avez tous pensé que je ferais un bon trésorier... Six voix pour moi. Merci beaucoup.

— Mais nous sommes sept ! fit remarquer Pam. Qui n'a pas voté pour toi ?

— Moi, sotte ! répliqua Pierre. J'ai voté pour Jacques. C'est entendu, nous nous retrouverons ici après-demain à deux heures, à moins que l'un de vous n'ait quelque chose de particulier à dire. Vous apporterez votre argent pour les fusées et je l'inscrirai. En prévision du feu de joie, nous irons dans le bois ramasser des branches mortes.

— Et le mannequin ? demanda Colin. Qui s'en occupera ?

— Les filles, répondit Pierre. C'est leur affaire, elles savent mieux coudre que nous.

— Tu ne sais pas coudre du tout ! protesta Jeannette. J'ai une idée : maman a décidé de changer ton édredon qui est mité. Nous pourrions nous en servir pour le corps.

— Oui, approuva Babette. Si l'édredon ne suffit pas, moi, je prendrai une vieille couverture au grenier.

— Les filles, c'est tout de même bon à quelque chose ! constata Pierre. Nous parlerons des vêtements à notre prochaine réunion. Mieux vaut voir d'abord la taille du mannequin.

— Ne le faites pas trop gros ! recommanda Jacques. Sans cela, nous ne pourrons pas lui trouver d'habits à sa taille !

— Je crois qu'il est temps de lever la séance, déclara Pierre. Avant de nous séparer, allons chercher une planche et installons une nouvelle étagère.

— C'est cela, dit Colin en se levant. Pardon, Moustique, je t'ai marché sur la queue. Tiens !

quelqu'un vient. Si c'est Suzie, nous la reconduirons chez elle. »

Mais ce n'était pas Suzie. C'était la mère de Pierre, chargée d'un plateau avec des verres, une bouteille de limonade et une assiette de biscuits.

« Je ne connais pas votre mot de passe, fit-elle remarquer, mais peut-être me laisserez-vous entrer si je dis "limonade et biscuits" ? Est-ce que cela suffira ?

— Maman, que tu es gentille ! s'écria Pierre en ouvrant la porte. Entre. Nous sommes tous ici et nous avons fait des quantités de projets.

— Bonjour, Georges, Jacques, Colin, Pam, Babette, je suis contente de vous revoir ! reprit Mme Dufour en posant le plateau sur une caisse. Il y a deux biscuits pour Moustique, il n'aime pas qu'on l'oublie.

— Ouah ! Ouah ! » approuva Moustique, et il lui lécha la main.

Tous s'assirent pour manger et boire, gais comme des pinsons. Ils avaient fait des projets, de très grands projets. Ils travailleraient de nouveau ensemble et se rencontreraient fréquemment.

« Je bois à notre feu de joie ! s'écria Pierre en levant son verre. À notre feu d'artifice et à notre mannequin ! »

Chapitre 4

Bélisaire prend forme

Le surlendemain, les Sept se réunirent de nouveau. Ce jour-là, le mot de passe était « Faridondaine ». Ils le dirent l'un après l'autre et entrèrent dans la remise.

Pierre s'assura qu'ils avaient leurs insignes.

La remise était redevenue un vrai lieu de réunion. Le sol était recouvert d'un vieux tapis donné par Mme Dufour. Les garçons avaient installé deux étagères et, sur l'une d'elles, Jeannette avait rangé des tasses en matière plastique et quelques assiettes, un sac de caramels et une boîte en fer-blanc pleine de biscuits.

Moustique se coucha dans un coin, les yeux fixés sur la boîte de biscuits. De temps en temps, il poussait un petit jappement pour manifester son existence.

« Tout à l'heure, Moustique ! lui dit Pierre. Tu as très bien déjeuné. Sois sage.

— J'ai à faire un rapport au sujet du mannequin, commença Pam d'un air important. Il prend bonne tournure.

— Parfait, approuva Pierre. Dis-nous comment vous l'avez fait.

— Nous avons pris la couverture de Babette, expliqua Pam, ainsi que le vieil édredon de Pierre. Ils n'étaient plus bons à rien.

— Nous avons beaucoup travaillé, renchérit Jeannette. Vraiment il n'est pas vilain du tout ! Voulez-vous le voir ? Il est derrière la remise, sous une bâche.

— Tu n'aurais pas dû le laisser là ! protesta Jacques. Suzie pourrait le prendre ! »

Jeannette alla chercher le mannequin. Il était aussi volumineux qu'un homme adulte. Il avait une tête ronde, un corps rebondi, serré par une corde pour marquer la taille, de gros bras et de grosses jambes faits avec des bâtons entourés de morceaux de couverture et fixés au torse avec des épingles de sûreté.

« Il lui manque encore les pieds et les mains, fit remarquer Jeannette. Nous les ferons avec des chaussettes et de vieux gants bourrés de paille. Comment le trouvez-vous ? »

Moustique, étonné par cette étrange créature, se mit à aboyer. Les autres rirent de son effarement.

« Tu verras comme il sera beau tout habillé ! s'écria Jeannette.

— Si l'un d'entre nous a des vêtements qui puissent convenir à notre Bélisaire, qu'il les apporte à notre prochaine rencontre, ordonna Pierre. Le mieux serait encore de les donner à Jeannette avant, si c'est possible.

— Gardons le mannequin dans la remise, conseilla Jacques. N'oublions pas que Suzie nous espionne. Si elle le voyait, elle voudrait peut-être en faire un. J'ai peur qu'elle ne se soit mis dans la tête de fonder un clan.

— Bon, nous le laisserons au fond de la remise, approuva Jeannette. Je crois qu'il sera très beau. Il lui faudra des vêtements assez grands et un vieux chapeau ou une casquette. Pour finir, nous lui mettrons un masque.

— Et l'argent ? reprit Pierre. En avez-vous apporté ? »

Pam, Babette, Colin, Georges, Jacques répondirent affirmativement. Pierre s'était muni d'une grande enveloppe jaune et d'une boîte en carton qui serait la caisse du Clan. Il encaissa les cotisations, y joignit la sienne et celle de Jeannette et inscrivit le total sur l'enveloppe.

« Voilà beaucoup de fusées en perspective, conclut-il. Maintenant mangeons nos biscuits. Ensuite nous irons chercher du bois mort pour le bûcher de Bélisaire.

— Ouah ! » approuva Moustique en remuant la queue.

Tous se mirent à rire.

« Je ne sais pas si tu mérites un biscuit, déclara Pierre. Tu n'as pas apporté d'argent... tu n'as pas aidé à fabriquer le mannequin et...

— Ouah ! Ouah ! Ouah ! protesta Moustique qui courut à son petit maître et posa la patte sur son genou.

— Il dit : “Est-ce que je peux avoir un biscuit si je vais ramasser du bois mort avec vous ?” traduisit Pierre. Faut-il le lui donner ? »

Tous furent de cet avis.

Moustique eut ainsi le premier biscuit qui sortit de la boîte. Les autres se servirent, puis, fermant la remise derrière eux, ils prirent la direction du bois derrière le pré des Dufour.

« Choisissons un endroit pour le bûcher, proposa Pierre. Pas trop près de la haie qui pourrait prendre feu.

— Ici ! s'écria Jacques en montrant le milieu du pré. Ce sera sans danger. Nous pourrons faire la ronde autour du feu et nous aurons beaucoup de place pour lancer nos fusées. »

Ses camarades jugèrent qu'il avait raison.

« Tiens ! s'exclama Pierre. Voici Germain,

l'élagueur qui travaille pour papa. Il nous donnera des branches mortes. »

Un homme à cheveux gris taillait la haie avec un sécateur bien aiguisé. Les enfants s'approchèrent et admirèrent sa dextérité.

« Bonjour, Germain, commença Pierre. Que vous êtes adroit ! Vous aimez tailler les haies ?

— J'aime le travail que je fais dehors, répondit le vieux. Le soleil, le vent, la pluie, voilà ce que j'aime.

— Pourrons-nous prendre le bois mort qui tombe de la haie ? demanda Pierre. Nous ferons un feu de joie le lendemain du 14 Juillet.

— Bien sûr, vous pouvez le prendre ! répliqua Germain. Il ne peut servir qu'à ça.

— Merci, répondit Pierre. Venez, vous autres. Allons dans le bois. Il nous faut un grand tas de branches ! »

Ils traversèrent le pré en direction du bois. Moustique aboyait gaiement. Que préparaient donc les Sept ? Moustique ne demandait qu'à les aider.

Chapitre 5

De vrais bandits

Les Sept se promenèrent dans les fourrés. Le bois mort n'y manquait pas. La semaine précédente, un grand orage avait secoué les arbres et fait tomber des quantités de branches. Les enfants eurent bientôt de gros fagots qu'ils attachèrent avec la ficelle que Pierre avait dans ses poches.

Pam, Babette et Jeannette posèrent ceux qu'elles avaient faits sous un grand chêne. Colin, Georges et Jacques, qui s'étaient éloignés, revinrent en traînant une énorme branche.

« Il faudra la couper en plusieurs morceaux, déclara Pierre. Quel beau feu de joie nous aurons !

— Allons nous reposer un moment dans la hutte de bûcheron, proposa Jacques. Je suis essoufflé. Maman m'a donné un paquet de biscuits au chocolat. Nous les mangerons.

— Ce sera très agréable », convint Pierre.

Les Sept se dirigèrent vers la petite cabane où Germain mangeait à midi les jours de pluie. Cachée au cœur du bois et recouverte de lierre, elle était à peine visible.

« C'est la première fois que je viens ici, déclara Pam. Que j'aimerais avoir une petite cabane comme celle-ci ! Nous aurions peut-être dû demander la permission à Germain.

— C'est inutile, répondit Pierre. Jeannette et moi, nous y venons souvent. »

Tout à coup Moustique se mit à aboyer.

« Qu'as-tu ? demanda Pierre. Il n'y a personne, pas même un lapin ! »

L'épagneul, les yeux fixés sur la cabane, manifestait une vive émotion.

« Ouah ! Ouah ! Ouah !

— Qu'est-ce qui te prend ? insista Pierre. Va inspecter les lieux, Moustique ! »

Moustique avança lentement. Quand il fut à la porte, il se mit à japper avec fureur. Une voix irritée monta de l'intérieur.

« File d'ici ! Laisse-nous tranquilles ! »

Un caillou vola dans les airs, manquant de peu Moustique.

Pierre bondit vers la porte et se trouva devant trois hommes qui le regardèrent de travers.

« Pourquoi jetez-vous des cailloux à mon chien ? Vous auriez pu le blesser ! »

Un rire méprisant lui répondit. Un autre caillou, lancé avec force, atteignit le jeune garçon à l'épaule, heureusement sans lui faire grand mal. Moustique poussa un grondement et se précipita en avant. Pierre eut juste le temps de saisir son collier pour le retenir.

« Sortez ! cria le jeune garçon, furieux. Cette cabane n'est pas à vous, elle appartient à Germain ! Je vais le chercher, si vous ne partez pas ! »

Il foudroya du regard les trois hommes qui riaient. L'un d'eux jeta un autre caillou qui, de nouveau, manqua de peu Moustique.

« Je vais chercher Germain ! » menaça Pierre.

Il se tourna vers ses compagnons cloués sur place par la surprise et la peur.

« Je reviens tout de suite, annonça-t-il. Surveillez ces hommes ! »

Il partit en courant. Sans attendre son retour, les trois hommes sortirent de la cabane. Ils restèrent un moment sur le seuil de la porte, les yeux fixés sur les enfants. L'un d'eux brandit le poing. Les garçons se mirent devant les filles pour les protéger, mais les intrus firent demi-tour et disparurent en parlant à voix basse.

« De vrais bandits ! chuchota Jeannette, rassurée de les voir partir. Je me demande ce qu'ils faisaient dans cette cabane !

— Ils ne complotaient rien de bon, j'en ai peur, répliqua Colin. Ils avaient l'air de francs gredins !

— J'ai un carnet, déclara Jacques. Je vais y écrire leur signalement. Cela peut servir.

— À quoi ? demanda Pam.

— On ne sait jamais ! riposta Jacques. Voici Pierre. As-tu trouvé Germain ?

— Non, il est allé je ne sais où, répondit Pierre, essoufflé. Ces hommes sont-ils partis ?

— Oui, répondit Colin. Jacques est en train de relever leur signalement sur son carnet. Nous pensons qu'ils préparent un mauvais coup. Voyons... l'un d'eux était petit, brun, et avait le nez de travers.

— Un autre était maigre et boitait, ajouta Pam. Il avait les oreilles décollées, je l'ai remarqué.

— Oui, approuva Jacques tout en écrivant. Le troisième était grand et gros. Une moustache. Des cheveux roux. »

Quand Jacques eut fini d'écrire, il remit le carnet dans sa poche.

« Emportons notre bois, proposa-t-il. Te reste-t-il de la ficelle, Pierre ? Nous mangerons nos biscuits dans ta remise. La cabane de Germain n'est pas un lieu sûr puisque n'importe qui peut y entrer. »

Chapitre 6

Préparatifs

Avec le reste de la ficelle que Pierre avait apportée, les garçons lièrent les dernières branches, puis ils traînèrent leurs fagots jusqu'à l'endroit fixé pour le feu de joie. Une demi-heure plus tard, un grand tas de bois s'élevait au milieu du pré. Les Sept le contemplèrent avec fierté. Moustique remuait la queue, content d'avoir porté une branche dans sa gueule en se mettant dans les pieds de tout le monde.

« Voilà ! déclara Pierre. C'est un bon commencement, mais ce n'est pas encore suffisant. Il faudra continuer. Jeannette et moi, nous retournerons dans le bois après le déjeuner.

— Moi, je reviendrai quand j'aurai goûté, promit Georges. Avant, il faut que je ratisse les allées du jardin. »

Les autres firent leurs plans pour utiliser leurs moments de loisirs.

« Allons nous asseoir, proposa Pam. Je suis fatiguée. »

Ils traversèrent le pré, puis le jardin. Pierre ouvrit la porte de la remise.

« Je ferme à clef, expliqua-t-il, à cause de l'argent qui est dans cette boîte sur l'étagère. Et aussi à cause du mannequin. Suzie pourrait nous jouer un tour de sa façon.

— Elle ne prendrait pas l'argent, tu le sais ! » protesta Jacques.

Pierre approuva d'un hochement de tête.

« Bien sûr, je le sais. Distribue tes biscuits au chocolat, Jacques. C'est presque l'heure du déjeuner, mais ils ne nous couperont pas l'appétit. Pas le mien en tout cas. Maman nous fait un civet de lapin aujourd'hui, c'est le plat que je préfère.

— Pourquoi parles-tu de civet ? gémit Georges. J'ai une faim de loup. Donne-nous vite tes gâteaux, Jacques ! »

Jacques plongea la main dans sa poche et toucha le carnet où il avait inscrit le signalement des trois hommes. Il l'ouvrit et lut tout haut ses observations.

« Nous les reconnaîtrons tout de suite si

nous les rencontrons de nouveau dans le bois, fit-il remarquer.

— J'espère bien ne jamais les revoir ! s'écria Pam.

— Oh ! ce n'était probablement que des vagabonds qui se sont assis un moment dans la cabane pour se reposer, suggéra Colin.

— On ne sait jamais ! déclara Jacques en remettant le carnet dans sa poche. À quand notre prochaine réunion, Pierre ?

— Voulez-vous après-demain à deux heures ? demanda Pierre. Nous verrons ce que nous avons pour habiller notre Bélisaire. Et, si nous avons le temps, nous ramasserons encore du bois pour le bûcher.

— Entendu ! » répliqua Colin.

Georges et Jacques approuvèrent aussi les projets de Pierre.

« Pam et moi, nous ne pourrons peut-être pas venir, déclara Babette. Nous avons une leçon de piano.

— Venez nous rejoindre tout de suite après, conseilla Pierre. N'oubliez pas vos insignes. Midi sonne. Il faut aller déjeuner. À bientôt, les amis ! »

Ils se séparèrent. Pierre, Jeannette et Moustique coururent à leur maison.

« Lavez-vous les mains ! ordonna Mme Dufour. Qu'avez-vous fait pour vous salir de cette façon ?

— Nous avons ramassé du bois pour un feu de joie, expliqua Jeannette. Nous serons prêts dans une minute. »

Ils racontèrent à leur mère l'emploi de leur matinée, tout en se régalant avec le civet. Quand ils parlèrent de la rencontre avec les trois vagabonds, Mme Dufour poussa une exclamation.

« Ne retournez pas seuls dans le bois ! s'écria-t-elle. Ces hommes ne me font pas bonne impression. S'ils vous jettent des cailloux, ils pourraient vous blesser.

— À sept, nous ne risquons pas grand-chose, fit observer Pierre. D'ailleurs Moustique est avec nous.

— Ne sortez pas sans lui ! recommanda Mme Dufour. Et que les filles ne s'éloignent pas des garçons ! Si vous ne promettez pas d'obéir, votre père vous interdira d'aller là-bas !

— Nous promettons, s'empressa de répondre Pierre. Maman, si tu voyais notre tas de bois ! Il est déjà très haut !

— J'irai le voir quand vous l'allumerez, dit sa mère. Je regarderai aussi le feu d'artifice. À propos, Jeannette, si tu veux gagner un peu d'argent, pour les fusées, j'ai un petit travail pour toi.

— Qu'est-ce que c'est, maman ? demanda Jeannette.

— Nous rangerons les armoires, répondit sa mère. Tu seras récompensée si tu m'aides.

— Ce sera avec plaisir, répliqua Jeannette. Je n'ai rien de particulier à faire cet après-midi. Les Sept ne se réunissent qu'après-demain. »

Mais leur prochaine rencontre eut lieu bien avant, à la demande de Colin qui avait à communiquer une nouvelle sensationnelle.

Chapitre 7

La nouvelle de Colin

Le soir, tandis que Pierre et Jeannette lisaient tranquillement, le téléphone sonna. Mme Dufour décrocha le récepteur et appela Pierre.

« C'est pour toi. Colin veut te parler. Il paraît que c'est urgent. »

Pierre courut au téléphone et Jeannette le rejoignit. Que se passait-il ? Depuis le matin, quel événement important s'était-il produit ?

« Allô ! Ici Pierre. »

La voix de Colin tremblait d'émotion.

« Pierre, est-ce que je peux aller te voir tout de suite ? Il y a du nouveau. Il faut convoquer le Clan des Sept le plus tôt possible. Demain. Mais je veux te voir avant. Avec ma bicyclette, je serai chez toi dans quelques minutes.

— De quoi s'agit-il ? demanda Pierre. Une réunion ? À quel sujet ?

— Je ne peux pas te le dire maintenant, quelqu'un pourrait entendre », répliqua Colin.

Quel était donc ce mystère ?

« Viens tout de suite, proposa Pierre. Retrouvons-nous à la remise. J'y serai. À tout à l'heure. »

Il raccrocha le récepteur et regarda Jeannette qui était près de lui.

« Que se passe-t-il ? demanda-t-elle.

— Je ne sais pas, répondit Pierre. Dans quelques minutes, il arrivera à la remise. Il veut réunir le Clan dès demain matin. Cela paraît très sérieux.

— Je vais t'accompagner, déclara Jeannette.

— Non, riposta Pierre. Allons, ne fais pas cette tête ! Eh bien, viens si tu veux, mais rappelle-toi, pas un mot à personne avant que je t'en donne la permission !

— Comme si j'avais l'habitude de répéter tout à tort et à travers ! s'écria Jeannette d'un ton méprisant. Maman ! Où es-tu ? Pierre et moi, nous allons à la remise. Colin nous y rejoindra.

— Un des secrets du Clan des Sept, je suppose, dit Mme Dufour. Ne revenez pas trop tard ! »

Ils descendirent à la remise, Moustique trottant sur leurs talons. Pierre ouvrit la porte et alluma la petite lampe à pétrole que leur mère leur avait donnée. Il la plaça sur une caisse.

Tous les deux attendirent l'arrivée de Colin, impatients de connaître le motif de cette visite imprévue. Ce devait être bien important pour que Colin jugeât nécessaire de convoquer d'urgence le Clan.

Enfin le timbre d'une bicyclette tinta, puis la porte de la grille se referma. Des pas précipités résonnèrent dans l'allée. Colin frappa à la porte.

« Faridondaine ! » chuchota-t-il.

Pierre se hâta de lui ouvrir.

« Pourquoi es-tu si agité ? demanda-t-il. Assieds-toi.

— Je commence par le commencement, déclara Colin, rouge d'émotion. Tu sais où habite ma grand-mère, n'est-ce pas ? Pas loin de chez moi, au coin de la rue.

— Oui, répondirent ensemble Pierre et Jeannette.

— Elle est absente, reprit Colin, mais elle revient demain et maman m'a demandé de porter chez elle des œufs frais. Nous avons des poules. Je vais les donner à Maria, sa bonne, qui attend son retour. »

Il s'interrompit et passa son mouchoir sur son visage.

« Continue ! s'écria Pierre.

— J'ai donc pris les œufs, poursuivit Colin, et je suis allé chez ma grand-mère. Une lampe était allumée dans le vestibule comme d'habitude. Je n'ai pas frappé à la porte d'entrée parce que je passe par-derrière pour épargner à Maria la peine de venir m'ouvrir. J'ai donc fait le tour de la maison et je suis entré par la porte de la cuisine. Elle était fermée, mais pas à clef.

— Ouah ! Ouah ! cria brusquement Moustique, ce qui les fit tous sursauter.

— Ce n'est rien, il a simplement vu une souris, expliqua Jeannette. Que s'est-il passé ?

— Maria n'était pas dans la cuisine, reprit Colin. Je suis entré dans la salle à manger. Il y avait de la lumière et je me suis demandé si grand-mère n'était pas revenue un jour plus tôt. J'ai ouvert la porte et... qu'est-ce que j'ai vu ? Tout était sens dessus dessous.

— Comment cela ? demanda Pierre.

— Les tiroirs avaient été vidés sur le parquet. Le buffet était ouvert. Et le coffre-fort était ouvert aussi. Il se trouve derrière une glace, je ne l'avais jamais vu. Quelqu'un avait enlevé la glace, découvert le coffre-fort et forcé la porte. Il était vide !

— Colin, c'est affreux ! s'écria Jeannette.

— Où était Maria ? demanda Pierre. Ce n'est sûrement pas elle qui a volé ta grand-mère !

— Bien sûr que non, répondit Colin. J'ai entendu un gémissement, j'ai couru dans l'arrière-cuisine qui était fermée à l'extérieur. La clef était sur la serrure. J'ai ouvert. La pauvre Maria se trouvait enfermée dedans.

— Qu'as-tu fait ? interrogea Pierre.

— J'ai téléphoné à la gendarmerie, répondit Colin, pénétré de son importance. C'est très impressionnant, tu sais. Deux gendarmes sont venus tout de suite. Papa et maman étaient déjà arrivés parce que je leur avais téléphoné à eux aussi.

— Mais pourquoi veux-tu convoquer le Clan des Sept ? demanda Pierre. Nous ne pouvons rien faire !

— Écoutez, déclara Colin. Maria a donné le signalement des voleurs aux gendarmes. Il y avait trois hommes, mais elle n'en a vu que deux. Le troisième est resté dans le vestibule pour faire le guet. Sa description est pareille à celle que Jacques a relevée dans son carnet. Je suis sûr que ces bandits sont les vagabonds qui s'étaient réfugiés dans la cabane de Germain. C'était peut-être ce mauvais coup qu'ils complotaient là.

— Ça alors ! s'écria Pierre. Oui, nous nous réunirons demain. À quatre heures de l'après-midi. Le mot de passe sera "mirliton". Ma parole, quel événement ! »

Chapitre 8

Une discussion animée

La journée du lendemain parut très longue aux Sept. L'heure venue, ils se rassemblèrent à la remise pour discuter de cet événement sensationnel. Le matin, les gendarmes avaient de nouveau interrogé Colin. Jacques fut le dernier à arriver.

« "Mirliton !" s'écria-t-il d'une voix haletante. Si je suis en retard, c'est la faute de Suzie. Elle me posait des tas de questions et, comme je refusais de répondre, elle a caché ma bicyclette. J'ai été obligé de venir à pied.

— Assieds-toi, ordonna Pierre. Colin, raconte ton histoire, s'il te plaît. »

Colin répéta tout ce qu'il savait. Il regrettait

que sa grand-mère eût été volée, mais il ne pouvait s'empêcher d'être fier du rôle important qu'il avait joué.

« Maria a vu deux des hommes, mais pas le troisième, ajouta Pierre quand Colin eut fini. As-tu apporté ton carnet, Jacques ? Nous y trouverons le signalement du troisième voleur. »

Jacques se rengorgea.

« Dire que j'ai inscrit ce signalement par hasard, parce que j'avais mon carnet sur moi ! s'écria-t-il. Attends une minute... Oui, voici mes notes. Colin, comment Maria a-t-elle décrit les deux hommes qu'elle a vus ?

— L'un d'eux était petit et brun, répliqua Colin. Elle a remarqué que son nez était de travers et qu'il avait des dents gâtées.

— C'est exactement mon premier signalement, déclara Jacques. "Brun, petit, le nez de travers." Je n'ai pas fait attention aux dents.

— Le nez de travers suffit, répliqua Colin. Le second, d'après Maria, avait les oreilles décollées. Elle croit qu'il boitait, mais elle n'en est pas sûre.

— C'est exact, approuva Jacques en consultant ses notes. Écoutez, un des vagabonds boitait. Elle n'a pas vu le troisième ?

— Non, il est resté dans le vestibule pour faire le guet. Les deux autres se sont jetés sur Maria, l'ont poussée dans l'arrière-cuisine, lui ont lié les mains et sont sortis en fermant la porte à clef. Elle n'a pas été blessée, mais elle a eu grand-peur.

— Heureusement que tu es allé porter les œufs, fit remarquer Jeannette. Maria a dû être bien contente de te voir.

— Oh ! oui, approuva Colin. Quand j'ai eu détaché ses mains, elle m'a embrassé. Puis elle est tombée sur une chaise. Par malheur, c'était là que j'avais posé mon sac d'œufs ! »

Tous éclatèrent de rire et reprirent leur sérieux, confus.

« Nous n'aurions pas dû rire, reconnut Jeannette. Mais c'est si drôle d'imaginer la pauvre Maria assise sur les œufs de Colin !

— Maria a ri aussi quand elle s'en est aperçue, répliqua Colin. En réalité, elle pleurait et riait en même temps. Je me suis dépêché de téléphoner aux gendarmes, puis à papa et maman. C'était un vrai roman policier !

— As-tu dit aux gendarmes que nous avions sans doute vu les trois voleurs ? demanda Pierre.

— Oui, répondit Colin. Mais je n'ai pas parlé des notes prises par Jacques. J'ai pensé qu'il aimerait le dire lui-même.

— C'est gentil de ta part, riposta Jacques. Nous irons ensemble porter mon carnet au brigadier de gendarmerie.

— C'est cela, approuva Pierre. Les gendarmes seront contents de savoir que nous avons la description du troisième voleur, ou plutôt que tu l'as, Jacques. Tu as eu une bonne idée. On ne sait jamais ce qui peut servir !

— Partons tout de suite ! proposa Jacques, pénétré de son importance. Tu viens, Colin ?

— Merci d'avoir réuni les Sept, Pierre, déclara Colin. Pouvons-nous avoir bientôt une autre réunion pour faire part de ce que diront les gendarmes lorsque Jacques leur aura donné le signalement du troisième voleur ?

— Demain à la même heure, décida Pierre. Je prierai maman de nous faire une brioche. À demain, Jacques et Colin. »

Ils se levaient quand Moustique se mit à aboyer avec fureur. On frappa à la porte à coups redoublés.

« Ouvrez, au nom de la loi ! » dit une voix sonore.

« Les gendarmes ! » chuchota Colin en ouvrant la porte.

Il n'y avait personne. Les Sept échangèrent un regard. Moustique se précipita dehors en aboyant et s'arrêta près d'un buisson. Pierre le suivit. Un éclat de rire le salua.

« Suzie ! crièrent les Sept, furieux.

— Oui, c'est moi ! J'ai amené la bicyclette de Jacques pour qu'il ne soit pas obligé de rentrer à pied, déclara l'exaspérante Suzie. J'ai pensé qu'il serait content.

— Dépêche-toi de filer ! » cria Jacques.

Suzie était déjà loin. Depuis quand était-elle là et qu'avait-elle entendu ? De quel droit se permettait-elle d'espionner les Sept ?

Chapitre 9

Oh ! cette Suzie !

Colin et Jacques se rendirent aussitôt à la gendarmerie. Ils furent reçus par le brigadier qu'ils connaissaient depuis longtemps. Colin lui avait raconté deux fois son histoire, la veille chez sa grand-mère et le matin, quand les gendarmes étaient venus l'interroger.

« Bonjour, Colin ! Te voilà de nouveau ! dit le brigadier en souriant. As-tu d'autres vols à signaler ?

— Non, monsieur, répondit Colin. Mais Jacques, mon camarade, a le signalement du troisième homme, celui que Maria n'a pas vu.

— Ça, alors ! s'écria le brigadier en prenant un bloc-notes. Nous avons déjà une bonne description de deux voleurs, mais nous ne savons rien du troisième. Il ne s'est pas montré à Maria. Comment peux-tu connaître son signalement, puisque tous les trois étaient partis quand tu es arrivé chez ta grand-mère ?

— C'est vrai, expliqua Colin, mais pourtant nous les avons vus tout de même. L'autre jour, nous étions dans le bois et, quand nous avons voulu entrer dans la cabane de bûcheron, trois hommes étaient à l'intérieur. Ils nous ont menacés et nous avons pensé qu'ils préparaient peut-être un mauvais coup. Jacques a donc relevé leur signalement dans son carnet. Jacques, donne ton carnet au brigadier ! »

Jacques obéit. Le brigadier lut rapidement les notes et siffla entre ses dents.

« Le troisième est très grand et gros. Une moustache. Des cheveux roux. »

Il posa le carnet et leva les yeux vers Jacques.

« Bon travail, petit ! Vraiment, les enfants sont précoces de nos jours ! Le signalement des deux premiers est tout à fait conforme à la réalité. Ces gaillards-là, nous les connaissons déjà, mais nous ne savons pas où ils se cachent. Le troisième, celui qui est grand et gros avec une moustache et des cheveux roux, ne doit pas être de la région. Comment était-il habillé ? L'as-tu remarqué ?

— Vaguement, répondit Jacques qui essayait de rassembler ses souvenirs. Ils étaient tous assez sales. Le reste, je n'y ai pas fait attention. Et toi, Colin ?

— Moi non plus. Ils portaient des vestes grises, je crois, répondit Colin, les sourcils froncés. Deux d'entre eux avaient des casquettes et je suis sûr que le troisième avait la tête nue, c'était le rouquin. Nous avons tous remarqué la couleur de ses cheveux parce qu'il n'avait rien sur la tête.

— Ce sont de précieux renseignements, déclara le brigadier en rendant le carnet à Jacques. Je suppose que ces voleurs sont à des kilomètres d'ici à présent. Cependant ouvrez bien les yeux, voulez-vous, vos camarades et vous ?

— Nous n'y manquerons pas », promirent ensemble les deux garçons.

Ils quittèrent la gendarmerie, très fiers d'avoir été utiles.

« Nous raconterons tout cela aux autres demain, annonça Jacques. Je rentre vite, j'ai des commissions à faire pour maman. Suzie aura de mes nouvelles ! Quel aplomb de venir nous déranger en pleine séance ! Je crois qu'elle nous laissera tranquilles pendant quelques jours. Maman va prendre deux amies de Suzie à la maison, deux filles dont la mère est obligée de s'absenter. Suzie sera occupée et oubliera un peu le Clan des Sept.

— Tant mieux ! répliqua Colin qui n'avait pas grande sympathie pour Suzie. Nos affaires ne la regardent pas ! »

Ils se séparèrent. Jacques, dès qu'il fut chez lui, se mit à la recherche de sa sœur.

« Suzie ! cria-t-il en entrant. Où es-tu ? Pourquoi as-tu fait semblant de... Oh ! excuse-moi, je croyais que c'était Suzie.

— Non, je suis Denise, répondit la fille qu'il avait prise pour Suzie. Et voici Liliane, ma sœur. C'est gentil de la part de ta mère de nous héberger pendant que maman est en voyage. »

Jacques regarda Denise et Liliane et ce qu'il vit ne lui plut guère. Elles avaient des yeux malicieux et un air moqueur. Deux filles de plus pour lui jouer de mauvais tours ! Une suffisait !

« Ouvrez, au nom de la loi ! dit une voix, celle de Suzie bien sûr. Oh ! Jacques... vous avez vraiment cru que...

— Tu es un fléau ! s'écria Jacques. Venir interrompre notre réunion ! J'avais honte de toi !

— Nous allons fonder un petit clan, Denise, Liliane et moi, déclara Suzie. Je l'appellerai le Clan des Trois Pestes !

— Ce sera un nom très approprié, approuva Jacques. Faites ce que vous voulez, mais laissez-nous tranquilles !

— Oh ! ces membres du Clan des Sept ! s'écria Suzie en se tournant vers Denise et Liliane qui riaient. Ils se prennent au sérieux. Des mots de passe, des insignes, des réunions auxquelles personne ne peut assister ! Attention, Jacques ! Un de ces jours, le Clan des Trois Pestes s'emparera de votre remise !

— Si vous osez nous déranger, je... je vous tirerai les cheveux ! déclara Jacques exaspéré, et il sortit de la pièce, furieux.

— Que ton frère a mauvais caractère, Suzie ! » fit remarquer Liliane.

Jacques l'entendit et eut envie de retourner sur ses pas pour mettre sa menace à exécution.

Il monta à sa chambre et s'assit, les sourcils froncés. Tant pis ! Ces filles pouvaient bien rire et se moquer, le Clan des Sept apportait un concours précieux aux gendarmes ! Suzie et ses amies étaient bien incapables d'en faire autant !

« J'avertirai Pierre de leurs intentions, pensa-t-il. Par bonheur, nous avons Moustique. Il aboie toujours quand quelqu'un s'approche de la remise. Suzie ne nous surprendra pas ! »

Chapitre 10

Bélisaire sera très élégant !

Pierre demanda à sa mère la permission d'inviter le Clan des Sept à goûter le lendemain.

« Vois-tu, maman, nous avons beaucoup de choses à discuter, nos préparatifs pour le feu de joie, et aussi le vol chez la grand-mère de Colin. Nous avons vu les trois voleurs.

— Nous nous occuperons nous-mêmes du goûter, maman. Tu n'auras pas à te déranger, promit Jeannette. Après, nous laverons les verres et les assiettes.

— Mais oui, mes chéris, invitez vos amis à goûter, répondit Mme Dufour. Vous aurez des tartines de confiture, vous achèterez des brioches chez le boulanger. Voulez-vous de la limonade ou du chocolat ?

— De la limonade, il fait si chaud ! Non, de l'orangeade pour changer un peu ! répondit Pierre. Merci d'être si gentille pour le Clan des Sept, maman ! »

Tous furent exacts au rendez-vous et contemplèrent avec satisfaction l'appétissant goûter préparé par Jeannette.

Pendant qu'ils se régalaient de tartines et de brioches, Jacques relata les projets de Suzie. Pierre poussa un soupir.

« Ces trois filles ont l'intention de nous jouer de mauvais tours. Jacques, pourquoi as-tu une sœur pareille ?

— Notre porte est toujours fermée à clef, fit remarquer Jeannette. Suzie elle-même ne casserait pas une vitre pour entrer !

— Les filles, vous êtes-vous occupées de Bélisaire ? demanda Jacques.

— Nous vous le montrerons tout à l'heure, promit Jeannette. Nous avons de quoi l'habiller. Le père de Pam nous a envoyé des vêtements.

— Papa est grand et fort, expliqua Pam. Ce qu'il nous a donné va très bien à Bélisaire.

— Papa, lui, m'a fait cadeau d'une casquette et de vieilles bottes de caoutchouc, ajouta Babette. Il ne nous manque plus rien.

— Nous l'habillerons tout à l'heure, conclut Jeannette. Il attend au fond de la remise. Il sera content d'être si élégant. Il lui faudra un masque.

— J'irai en acheter un après le goûter, déclara Colin. On en vendait au bazar pour le carnaval. Il doit bien y en avoir encore. »

Quand il ne resta plus une miette, les enfants emportèrent les verres et les assiettes, les lavèrent et retournèrent à la remise.

Chacun ajouta une petite somme à la caisse du Clan.

« Nous aurons un beau feu d'artifice ! constata Pierre quand il eut fait l'addition.

— Maintenant, habillons Bélisaire ! » proposa Jeannette.

Pam et Babette l'aidèrent à transporter le mannequin et à l'asseoir sur une caisse. Moustique, effrayé par ce corps informe, gronda entre ses dents.

Habiller le mannequin ne fut pas chose aisée.

« Bélisaire ne nous facilite pas la tâche, déclara Georges qui s'efforçait de mettre en place le pantalon. Ne sois pas si raide, Bélisaire !

— C'est heureux que le père de Pam soit grand et fort, fit remarquer Babette. Sans cela nous n'aurions rien pour habiller notre mannequin !

— Maintenant la veste ! proposa Jacques

en prenant une vieille veste de tweed qui n'était pas assortie au pantalon.

— Papa la mettait pour peindre notre cuisine, expliqua Pam. Maman a été bien contente de s'en débarrasser. Les boutons sont jolis, n'est-ce pas ? Jaune et marron, trop beaux pour Bélisaire.

— La veste lui va comme un gant, annonça Pierre en riant. Vous vous réjouissez d'être si élégant, n'est-ce pas, monsieur Bélisaire ? Colin, quand iras-tu acheter le masque ? Le magasin sera bientôt fermé.

— Tout de suite, répondit Colin en se levant. Je reviens dans quelques minutes. »

Les autres se mirent en devoir de chausser le mannequin. Les bottes opposèrent une vive résistance.

« Voyons, Bélisaire, aide-nous ! supplia Jacques. Tu ne voudrais tout de même pas rester pieds nus ? Là ! cette botte est en place. Ne gronde pas comme cela, Moustique ! Est-ce que notre mannequin te ferait peur ? »

Moustique poussa un aboiement sonore en courant à la porte.

« Suzie ! Les trois pestes ! » s'écrièrent les filles.

Mais elles se trompaient.

C'était Colin qui revenait avec le masque. Il agita un journal du soir.

« Deux des voleurs de grand-mère ont

été arrêtés, le troisième court toujours ! annonça-t-il. Je vais vous lire ce qu'on dit dans le journal.

— Ferme d'abord la porte », ordonna Pierre.

Colin obéit, s'assit sur une caisse, déplia le journal et toussota avant de commencer sa lecture.

Chapitre 11

Les Trois Pestes

« Dépêche-toi ! s'écria Jeannette impatiente.

— *Cet après-midi, deux des voleurs qui ont cambriolé l'autre jour la maison de Mme Morin ont été arrêtés par les gendarmes. Ils n'avaient pas quitté la région. Le troisième s'est enfui, mais on possède son signalement. Il est grand, fort, il a une moustache et des cheveux roux. Quiconque verrait un homme répondant à ce signalement doit aviser immédiatement la gendarmerie. Malheureusement, les objets volés n'ont pas été retrouvés.*

— Eh bien ! s'exclama Pierre quand Colin eut achevé sa lecture. On a donc arrêté deux des hommes ! Dommage que le troisième se soit échappé !

— Oui. Et il a emporté le butin, je suppose,

ajouta Colin. Ma pauvre grand-mère a eu une forte émotion. Elle ne s'en est pas encore remise. On lui a pris deux coupes d'argent que mon grand-père avait gagnées dans des championnats et des bijoux de famille auxquels elle tenait beaucoup.

— Les deux hommes qui ont été arrêtés avoueront peut-être où ils les ont cachés, fit remarquer Pam.

— Colin a raison. Le rouquin qui s'est enfui s'en est probablement emparé, répliqua Pierre. Pour les retrouver, il faudra lui mettre la main au collet.

— Ce qui m'étonne, c'est que ces hommes soient restés dans la région, reprit Colin. J'aurais cru qu'ils déguerpiraient le plus vite possible.

— Celui qui est encore en liberté mettra sans doute des kilomètres et des kilomètres entre la gendarmerie et lui, dit Georges.

— Dans le cas contraire, il ne sort que la nuit, riposta Colin. On peut se raser la moustache, on ne peut pas rapetisser ni enlever ses cheveux.

— On peut les teindre ou porter une perruque ! s'écria Babette.

— Terminons la toilette de Bélisaire, proposa Jeannette. Comment le trouves-tu, Colin ? »

Aidée de Pam, elle poussa le mannequin

devant Colin. Engoncé dans son pantalon et sa veste de tweed, chaussé de bottes de caoutchouc, il avait l'air d'arriver tout droit de la planète Mars. Moustique aboya avec fureur.

« Bélisaire lui fait peur, fit observer Pam. Attache le masque, Colin. Ensuite nous placerons la casquette sur sa tête. »

Le masque avait un gros nez rouge et une moustache rousse.

« Monsieur Bélisaire, êtes-vous sûr de ne pas être le troisième voleur ? s'écria Jeannette.

— Maintenant, la casquette ! » déclara Georges.

Il la posa un peu de côté sur la tête du mannequin. Bélisaire avait un aspect si comique que tous éclatèrent de rire.

« Comment allez-vous, cher Bélisaire ? s'enquit Georges en lui secouant la main. Si vous avez froid, vous vous réchaufferez bientôt sur notre bûcher.

— Il n'a pas l'air à son aise, assis sur cette caisse, fit remarquer Jeannette. Si nous le mettions dans un vieux fauteuil ? Il brûlerait plus lentement en haut du feu de joie.

— Il y en a un dans le hangar, répliqua Pierre. Personne ne s'en sert. Allons le chercher, voulez-vous ? »

Ils sortirent tous de la remise, Moustique

aussi, laissant le mannequin affalé sur sa caisse.

« Nous revenons dans une minute, Bélisaire », déclara Colin, et tous les autres se mirent à rire.

Ils se dirigèrent vers le hangar. Dans un coin, ils trouvèrent le vieux fauteuil. Son siège avait presque disparu, ainsi qu'une partie du dossier, mais il avait conservé ses accoudoirs.

« C'est exactement ce qu'il nous faut, décida Pierre. Nous consoliderons le siège avec une planche. Aide-moi, Colin. »

Ils emportèrent le vieux fauteuil. Arrivés à quelque distance de la remise, ils s'arrêtèrent net. Quelqu'un était debout devant la porte ouverte.

« C'est... c'est notre mannequin ! cria Jeannette, effrayée. Il est sorti tout seul de la remise. Il est là, debout ! Pierre, regarde-le ! »

Oui, c'était le mannequin, appuyé contre le mur, immobile, son nez plus rouge encore à la clarté du soleil. Soudain un rire étouffé se fit entendre.

« Suzie ! hurla Jacques, furieux. C'est toi qui as sorti notre mannequin ! Attends que je vous attrape toutes les trois. Comment avez-vous osé ? »

Aux rires s'ajouta le bruit d'une course précipitée. Les Trois Pestes, heureuses du tour joué aux Sept, décampaient.

« Elles l'ont accroché à un clou », constata Pierre.

En effet, un crochet de fer rouillé s'enfonçait dans le cou de Bélisaire.

« C'est notre faute ! gémit Pierre. Nous n'aurions pas dû laisser la porte ouverte.

— Ah ! ces filles ! cria Jacques. Vous verrez de quel bois je me chauffe ! Rentrons le mannequin dans la remise. Viens, Bélisaire, je regrette qu'on t'ait joué un si mauvais tour, pauvre vieux brigand ! »

Chapitre 12

Jacques prend sa revanche

Les Sept étaient furieux à l'idée que les Trois Pestes avaient osé entrer dans leur remise et déplacer le mannequin.

« Nous avons eu tort de laisser la remise ouverte, même pour quelques minutes, déclara Pierre. Je m'étonne que Moustique n'ait pas aboyé.

— Il nous a suivis quand nous sommes allés chercher le fauteuil, expliqua Colin. N'oublions plus de fermer la porte quand nous quittons la remise, Pierre. Elles nous voleraient le mannequin et le brûleraient à notre place. Crois-tu qu'elles feront un feu de joie, Jacques ?

— Je n'en sais rien, répondit Jacques. Comme si elles me faisaient leurs confidences ! Ces deux filles, Denise et Liliane, sont encore pires que Suzie ! Elles rient tout le temps. Je suppose qu'elles achèteront des fusées, le reste je l'ignore. »

Ils installèrent le mannequin dans le fauteuil, les bras sur les accoudoirs.

« Il ne lui manque plus qu'une pipe et un journal pour avoir l'air tout à fait réel, déclara Babette.

— Il commence à être tard, dit Georges en regardant sa montre. Il faut que je rentre. J'ai promis à maman d'acheter le pain et le lait. Quel excellent goûter nous avons fait ! Pierre, remercie ta maman de notre part. »

La séance fut levée.

Quelques minutes plus tard, la remise était fermée et la clef dans la poche de Pierre. Le mannequin resta seul dans son fauteuil.

Jacques retourna chez lui à bicyclette, furieux. Suzie dépassait vraiment les bornes ! Quel malheur d'avoir une sœur pareille ! Quand il eut mis sa bicyclette à sa place, il aperçut des silhouettes dans le kiosque en bas du jardin.

« Tiens ! Qui est là ? » se demanda-t-il, et il alla voir.

Des voix qu'il reconnut immédiatement parlaient avec animation.

« Suzie... et les autres ! Une réunion du

Clan des Trois Pestes, sans doute ! pensa Jacques. À mon tour de les espionner ! »

Il s'approcha de la fenêtre du kiosque et tendit l'oreille.

« Les Sept sont trop fiers de leur mannequin ! disait Suzie. Et ils ne voudront même pas que nous les aidions à le brûler. Quels égoïstes ! Ils méritent une punition.

— Où vont-ils dresser leur bûcher ? interrogea Liliane. Nous pourrions leur voler leur bois.

— Je ne sais pas, répondit Suzie. Si je m'y prends bien, Jacques me le dira peut-être. »

Des éclats de rire mirent le comble à la colère de Jacques.

« Quel dommage que nous ayons si peu d'argent pour des fusées ! s'écria Denise. C'est très cher. Et nous n'avons pas de mannequin non plus.

— Ni de bûcher, ajouta Suzie. Soyez sûres que les Sept n'auront pas le triomphe modeste ! Il faut absolument leur mettre des bâtons dans les roues ! »

Les trois filles rapprochèrent sans doute leurs têtes, car Jacques n'entendit plus rien.

Que complotaient ces pestes ? Il ne leur révélerait certainement pas l'emplacement du bûcher. Il ne dirait pas un mot. Mieux encore, il les enverrait dans la direction opposée. Pour le moment, il leur donnerait la plus grande frayeur de leur vie.

Il ouvrit la bouche et poussa une clameur qui l'effraya lui-même.

« Houhouhou ! Houhouhou ! »

Il y eut un brusque silence à l'intérieur du kiosque, puis la voix de Suzie s'éleva.

« Qu'est-ce que c'était que ça ? »

Jacques répondit par un hurlement à glacer le sang. Prises de panique, les Pestes sortirent précipitamment du kiosque et s'enfuirent vers la maison. Jacques, dissimulé derrière un arbre, pouffait de rire.

« Elles ont dû se croire entourées de fantômes ! pensa-t-il. Allons voir la tête qu'elles font ! »

Il entra à son tour dans la maison, les mains dans les poches, en fredonnant un petit air. Les trois filles, blanches comme des linges, s'élancèrent vers lui.

« Jacques, as-tu entendu ces cris affreux quand tu as traversé le jardin ? demanda Suzie.

— Le chat miaulait ? répliqua Jacques. Poltronnes ! Vous avez trouvé très spirituel de sortir notre mannequin de la remise. C'était plus stupide que drôle !

— Nous nous moquons de votre mannequin ! s'écria Suzie. Et nous ne tenons pas du tout à danser autour de votre feu de joie !

— Où est-il, ce feu de joie ? s'enquit Liliane de son air le plus innocent. C'est un secret ?

— Pas du tout ! répondit Jacques. Vous connaissez la Butte aux Merles, la colline si escarpée ? Tout en haut, il y a un bûcher tout prêt, un bûcher comme vous n'en avez jamais vu, petites sottes ! »

Il sortit de la pièce et les Trois Pestes échangèrent un regard triomphant.

« Nous voilà renseignées ! chuchota Suzie. Demain nous monterons là-haut et nous démolirons leur bûcher ! »

Chapitre 13

Un visage à la fenêtre

Jacques retourna chez Pierre de bonne heure le lendemain matin pour lui raconter le mauvais tour qu'il jouait aux Trois Pestes. Pierre l'écouta en riant.

« Bonne idée ! Allons tout de suite à la Butte aux Merles ! Nous rassemblerons quelques bouts de bois et nous laisserons un message. Sais-tu quand les filles monteront là-haut ?

— Cet après-midi, je suppose, répondit Jacques. Suzie est la seule qui ait une bicyclette, elles seront obligées de monter à pied. C'est une belle grimpette !

— Je vais écrire le message », annonça Pierre en prenant son carnet et son crayon.

Il griffonna quelques mots, signa et passa la feuille de papier à Jacques.

« Le feu de joie est à vous, si vous voulez vous l'approprier. J'espère que vous avez fait une agréable promenade. Le Clan des Sept rit à vos dépens ! »

Jacques s'esclaffa.

« C'est parfait. Je voudrais voir leur tête quand elles liront cela ! Mais il faut surveiller notre véritable bûcher, Pierre. Si elles le découvraient, elles le démoliraient. Elles seront tellement furieuses d'être montées pour rien à la Butte aux Merles !

— Tu as raison, approuva Pierre. Cet après-midi, nous nous réunirons. Nous ferons nos comptes et, demain ou après-demain, nous achèterons nos fusées. Le 14 Juillet est dimanche prochain. Nous célébrerons notre fête mardi.

— Pourquoi pas lundi ? demanda Jacques.

— Colin n'est pas libre, répondit Pierre. Monte avec lui à la Butte aux Merles. Je ne peux pas vous accompagner, papa m'a donné du travail. »

Jacques alla chercher Colin et tous les deux prirent leur bicyclette, mais la route était si escarpée qu'ils durent faire une partie du chemin à pied. Arrivés au sommet de la colline, ils rassemblèrent quelques branches mortes et placèrent dessus le billet, maintenu par une pierre afin qu'il ne fût pas emporté par le vent.

« Voilà ! s'écria Jacques. Quelle déception pour les Trois Pestes ! Dépêchons-nous de descendre ! »

L'après-midi à cinq heures, après le goûter, les Sept se retrouvèrent dans la remise. Moustique bondissait autour d'eux, heureux de voir tous ses amis réunis.

Le mannequin était assis dans son fauteuil. Pierre fit les comptes.

« Qui veut venir choisir les fusées avec moi demain ? demanda-t-il. Inutile d'attendre le dernier moment ! »

Georges et Pam se proposèrent. Puis Jacques raconta en riant qu'il avait espionné les Trois Pestes, avait entendu leurs projets et les avait envoyées au sommet de la Butte aux Merles.

« Nous sommes montés ce matin, Colin et moi, et nous avons préparé un petit feu avec un mot du Clan des Sept, conclut-il. Je parie que les Trois Pestes ont fait l'ascension cet après-midi.

— Je me représente leur fureur ! s'écria Jeannette. Pourvu qu'elles ne viennent pas démolir notre bûcher !

— Je ne crois pas qu'elles le trouvent, répliqua Jacques. Mais il faut le surveiller.

— Grrr ! gronda brusquement Moustique.

— Les Trois Pestes sont-elles déjà descendues de la Butte aux Merles ? demanda Jacques. Qui est là, Moustique ?

— Grrrr ! » répéta Moustique, et les poils de son cou se hérissèrent. Il courut à la porte et écouta attentivement.

Pam soudain poussa un cri et tous les autres sursautèrent. Jeannette se tourna vers elle.

« Pourquoi cries-tu ? C'est justement ce que désirent les Trois Pestes, nous faire peur ! »

D'une main tremblante, Pam montra la petite fenêtre de la remise.

« J'ai vu un visage là, expliqua-t-elle. J'en suis sûre.

— C'est Suzie ou l'une de ses amies, déclara Jacques. Pourquoi n'avions-nous pas tiré le rideau ? »

Ils coururent à la porte et l'ouvrirent. Moustique sortit en aboyant, puis s'arrêta et se remit à gronder.

« Elles sont parties, constata Pierre. Elles avaient peut-être l'intention de voler notre mannequin. Tais-toi, Moustique, il n'y a plus personne ! »

Ils retournèrent dans la remise. Pierre tira le rideau sur la fenêtre.

« Levons la séance, proposa-t-il. Nous nous retrouverons ici samedi matin pour achever nos préparatifs. Jacques, dis à Suzie que nous l'avons vue, elle ou une de ses amies, et dis-lui que nous espérons qu'elles ont été contentes de leur promenade.

— Je n'y manquerai pas », promit Jacques.

Il s'éloigna à bicyclette.

À sa grande surprise, il rencontra Suzie, Liliane et Denise à la porte de sa maison. Elles paraissaient exténuées. Denise était presque en larmes.

« Méchant ! s'écria Suzie en colère. Nous faire monter tout en haut de la Butte aux Merles ! Ces quelques bouts de bois et cet horrible billet ! Denise est tombée, elle s'est tordu la cheville. Elle peut à peine marcher. Tu es odieux !

— Ce n'était pas vous qui étiez derrière la fenêtre de notre remise ? demanda Jacques.

— Je ne sais pas de quoi tu parles ! riposta Suzie. Nous rentrons à l'instant. Je vais bander la cheville de la pauvre Denise ! »

Jacques resta seul, un peu honteux d'être la cause de l'accident arrivé à Denise.

Mais qui s'était approché de la fenêtre de la remise ?

Chapitre 14

Une surprise désagréable

Jacques décida de téléphoner à Pierre.

« Tu sais, Pierre, ce n'était pas Suzie ni une de ses amies qui était devant notre fenêtre ce soir. Elles arrivent de la Butte aux Merles. Denise s'est tordu la cheville, elle boite. »

Pierre siffla entre ses dents.

« Qui était-ce donc ? Attends une minute. Papa est là. Dis, papa, tu ne t'es pas approché de notre remise ce soir ?

— Non, répondit son père. Mais Émile a travaillé tard dans le jardin. Je suppose qu'il a vu votre lumière et qu'il a jeté un coup d'œil à l'intérieur.

— C'est probable, approuva Pierre, et il

répéta à Jacques les paroles de son père. En tout cas la remise est fermée à clef. Personne ne peut y entrer. À demain, Jacques. »

Suzie ne pardonnait pas à son frère le mauvais tour qu'il lui avait joué.

« J'ai bien envie de le dire à maman, déclara-t-elle. La cheville de Denise est toujours très enflée. Prenez garde à vous, les Sept ! Votre mannequin, nous pourrions bien le brûler nous-mêmes !

— Ne dis pas de sottises ! interrompit Jacques. La remise est fermée à clef. Vous l'avez trouvée ouverte l'autre soir, cela ne se renouvellera plus. Je suis fâché que Denise se soit tordu la cheville, mais après tout c'est ta faute. Laisse-moi tranquille ! »

Suzie cria plus fort encore et Jacques battit en retraite dans sa chambre. Il était inquiet, car il savait Suzie décidée à se venger.

Le lendemain, Pierre, Georges et Pam allèrent acheter les pièces de leur feu d'artifice. Il manquait celle appelée « ailes de moulin » qu'ils désiraient beaucoup.

« Je l'aurai demain, promit le marchand. Et aussi des "chandelles romaines" de toutes les couleurs.

— Nous reviendrons, répliqua Pierre. Il nous faut absolument des "ailes de moulin" et des "chandelles romaines". »

Il mit l'argent qui lui restait dans son porte-monnaie. Pam et Georges l'aidèrent à porter les paquets.

« Je vais inscrire ce que nous avons dépensé dès que je serai rentré à la maison, dit-il, et je mettrai le reste dans la caisse du Clan sur l'étagère. Demain matin, nous finirons le bûcher. Il n'y a pas de réunion ce soir. »

À son retour, il entra dans la remise et rangea dans la caisse les billets et la monnaie. En jetant un regard au mannequin, il décida que Bélisaire avait besoin d'une pipe.

Le soir, il demanda à son père de lui donner une vieille pipe.

« Mes vieilles pipes sont celles que je préfère ! protesta M. Dufour. Attends une minute, j'en ai une qui a le tuyau cassé. Elle suffira à ton Bélisaire. »

Il la trouva et la donna à Pierre. Moustique courut à la porte en aboyant.

« Fais-lui faire un tour dans le jardin ! ordonna Mme Dufour.

— Viens, Moustique ! proposa Pierre. Promenade ! Nous allons porter la pipe à Bélisaire. Tu viens, Jeannette ?

— As-tu la clef de la remise ? » demanda Jeannette.

Pierre fouilla dans une poche, puis dans l'autre.

« Où est-elle ? dit-il. J'espère que je ne l'ai

pas laissée sur la serrure quand j'ai porté l'argent là-bas.

— Vite ! Allons voir ! » cria Jeannette qui pensa immédiatement aux Trois Pestes.

Ils traversèrent le jardin en courant, suivis de Moustique qui bondissait comme un fou. Quelques minutes plus tard, ils atteignaient la remise.

« J'ai bien laissé la clef, constata Pierre. Vraiment, je ne mérite pas d'être le chef du Clan des Sept ! Par bonheur, Denise boite et Suzie ne la quitte pas ! Jacques me l'a téléphoné. »

Ils entrèrent dans la remise. Pierre tenait la vieille pipe cassée. Jeannette poussa un cri et lui prit le bras. « Pierre, regarde le mannequin ! Ses vêtements ont disparu ! Suzie est venue malgré tout ! Pourquoi as-tu laissé la clef sur la serrure ? »

En effet, le mannequin, assis dans son fauteuil, n'avait plus ni pantalon, ni veste, ni bottes. Son masque au nez rouge seul lui restait.

« Les Pestes n'ont laissé que les épingles anglaises qui attachaient son pantalon ! s'écria Jeannette en larmes. Oh ! Pierre, notre beau mannequin... que diront les autres ? »

Pierre était au désespoir. Dire que c'était sa faute ! Il regarda autour de la remise dans l'espoir de trouver les vêtements jetés dans un coin. Mais non, la casquette elle-même avait disparu.

« Retournons à la maison », conseilla-t-il tristement en fermant la porte et en mettant la clef dans sa poche. « C'est affreux ! Il faut que je téléphone à Jacques et que je lui dise ce qu'ont fait les Trois Pestes ! »

Quand il apprit la nouvelle, Jacques fut aussi consterné que Pierre et Jeannette. Il ne pouvait en croire ses oreilles !

« Moi qui pensais que Suzie et ses amies n'avaient pas quitté leur chambre ! Elles vont m'entendre toutes les trois ! »

Il raccrocha le récepteur et alla à la recherche de sa sœur.

Denise, Liliane et elle lisaient dans leur chambre. Jacques se précipita sur Suzie et lui tira les cheveux.

« Qu'as-tu fait des vêtements de notre Bélisaire ? Où les as-tu cachés ?

— Les vêtements de votre Bélisaire ? répéta Suzie qui manifestait une vive surprise. Nous n'avons pas bougé d'ici de tout l'après-midi.

— Ce n'est pas vrai ! cria Jacques. Ne mens pas ! Où sont ses vêtements ? »

Chapitre 15

Qui a pris l'argent ?

Liliane et Denise étaient épouvantées par les cris de Jacques.

« Je t'assure, commença Suzie en élevant la voix elle aussi, je t'assure que nous n'avons pas pris ses vêtements ! Mais je suis bien contente que ton mannequin les ait perdus ! Ah ! Ah !

— Où les as-tu cachés ? » hurla Jacques.

La porte s'ouvrit et sa mère entra dans la chambre.

« Jacques, je te défends de crier ! Qu'y a-t-il ?

— Suzie, Denise et Liliane ont pris les vêtements de notre mannequin, déclara Jacques qui pourtant n'avait pas l'habitude de rapporter. Et elles mentent ! Oui, tu mens, Suzie, je le sais !

— En voilà assez, décréta sa mère. Va te calmer dans ta chambre, Jacques ! Je parlerai à Suzie. »

Jacques sortit, bouillant de rage. Il fit de rapides recherches dans les placards de la lingerie et, ne trouvant rien, entra dans sa chambre. Sa mère le rejoignit bientôt.

« Je ne veux pas que tu accuses Suzie et ses amies, annonça-t-elle. Ces petites sont bouleversées ! Suzie m'a raconté que, Pierre et toi, vous les aviez fait monter pour rien tout en haut de la Butte aux Merles. J'ai honte de toi !

— Écoute, maman, s'écria Jacques, demande à Suzie où elle a caché les vêtements du mannequin !

— Plus un mot là-dessus ! » ordonna sa mère, et elle sortit en refermant la porte.

Jacques n'osa pas descendre pour téléphoner à Pierre. Il était sûr que les Trois Pestes se moquaient de lui.

Les Sept se retrouvèrent dans la remise le lendemain matin. Ce fut une séance lugubre.

Ils regardaient leur beau mannequin, maintenant si nu et si laid. Pam ne put retenir ses larmes.

« Dire que sa veste et son pantalon lui allaient si bien, sanglota-t-elle. Quel dommage ! Ta mère devrait se plaindre à la mère de Suzie, Pierre. C'est un vol !

— Pas tout à fait ! protesta Jacques, gêné. Je suis sûr que Suzie nous rendra les vêtements après notre feu d'artifice, c'est simplement une mauvaise plaisanterie. J'étais si en colère hier soir que j'avais envie de l'étrangler !

— C'est ma faute, reconnut humblement Pierre. Si je n'avais pas laissé la clef sur la porte, rien ne serait arrivé. Suzie a profité de l'occasion.

— Il faut trouver d'autres vêtements, proposa Colin. Il y a un vieil imperméable suspendu dans notre garage. Je suis sûr qu'il ne sert à personne. Je l'apporterai. Et quelqu'un cherchera une autre casquette. Bélisaire s'en contentera.

— Nous avons acheté les fusées », annonça Pam pour changer le sujet de la conversation, car elle sentait que Pierre était au supplice. « Il nous reste de l'argent. Veux-tu que j'aille voir si le marchand a reçu les “ailes de moulin”, Pierre ?

— Oui, approuva Pierre. Je vais te donner l'argent. »

Il sortit l'enveloppe de la boîte, l'ouvrit et poussa une exclamation.

« L'argent a disparu ! s'écria-t-il. Il ne reste pas un sou ! Tout a disparu ! »

Un silence de mort accueillit ses paroles. Moustique lui-même ne faisait pas un mouvement. Enfin Jacques parla d'une voix tremblante.

« Si Suzie l'a pris, elle nous le rendra, Pierre. Ce n'est pas une voleuse !

— Elle a bien volé les vêtements du mannequin ! déclara Babette. Je crois les Trois Pestes capables de tout !

— Non, non ! protesta Pierre. Je suis de l'avis de Jacques. Je ne crois pas Suzie capable d'un vol. Je crois que ses amies et elle ont emporté les vêtements et l'argent pour se venger, dans l'intention de les garder quelques jours, puis elles nous les rendront.

— Oui, elles les rendront, renchérit Jeannette. J'en suis sûre. Jacques, dis à Suzie que nous savons qu'elle nous rendra l'argent après la fête. Nous nous passerons des "ailes de moulin"et des "chandelles romaines", voilà tout. Ne nous disputons pas entre nous !

— Tu as raison, dit Jacques, soulagé. Allons chercher d'autre bois pour notre feu. Ça nous calmera ! »

Ils sortirent. Pierre ferma la porte avec soin. Dans le pré, ils examinèrent leur bûcher.

« Quelqu'un y a touché ! » s'écria Georges.

Il fit le tour du bûcher.

« On a creusé de tous les côtés ! annonça-t-il. Ne faites pas cette tête, les autres ! On dirait que vous avez eu un zéro en calcul ! »

Cette plaisanterie ne dérida personne.

Après tant de catastrophes, ils n'avaient pas le cœur à rire. De nouveau ils empilèrent des branches mortes sous un arbre et firent des fagots qu'ils traînèrent dans le pré. Le bûcher fut bientôt très haut et les Sept se consolèrent un peu en pensant aux belles flammes qui monteraient vers le ciel.

« Tiens, voici Suzie et les autres ! s'écria brusquement Georges. Denise ne boite plus.

— Où sont les vêtements de notre mannequin ? hurla Pam, saisie d'un accès de colère.

— Nous ne les avons pas ! riposta Suzie.

— Si ! cria Pam. N'approchez pas de notre bûcher ! Vous seriez capables de le démolir !

— Tais-toi, Pam ! ordonna Jeannette.

— Cela ne nous donnerait pas beaucoup de peine ! répliqua Suzie. Regardez ! »

À la grande indignation des Sept, Liliane, Denise et elle assenèrent de grands coups de pied au bûcher. Des branches mortes dégringolèrent sur l'herbe.

Chapitre 16

Quel dommage !

Les Sept se précipitèrent au secours de leur bûcher, mais Suzie et ses amies s'enfuyaient déjà.

« Attendez un peu ! cria Suzie. Nous reviendrons et vous ne trouverez plus un morceau de bois !

— Il faudra que quelqu'un monte la garde, déclara Pierre. Nous aurions mieux fait de ne pas nous quereller avec Suzie. Maintenant rien ne l'arrêtera ! »

Ils remirent en place les branches qui étaient tombées, tout en surveillant les alentours, mais les Trois Pestes ne revinrent pas.

« Il faut garder tour à tour le bûcher cet après-midi, proposa Georges.

— Non, j'ai une meilleure idée, suggéra Jacques. Je surveillerai Suzie et les deux autres. Je ne les lâcherai pas d'une semelle. Et ce soir je les accompagnerai au cinéma, je saurai donc qu'elles ne nous jouent pas de mauvais tours. Maman m'a promis de me donner l'argent des tickets ; cela ne m'amuse pas, mais du moins nous serons tranquilles.

— Tu as raison, approuva Pierre. Nous ne serons pas obligés de rester toute la journée dans le pré. Veux-tu que je t'accompagne au cinéma ? Tu t'ennuierais beaucoup avec ces trois filles !

— Volontiers, répondit Jacques. Ce sera plus agréable pour moi. »

Après le dîner, tous les cinq se rendirent au cinéma. La mère de Jacques exprima sa satisfaction.

« Je suis heureuse que vous vous soyez réconciliés, dit-elle à son fils. Je suis sûre que Suzie et ses amies n'ont pas pris les vêtements de votre mannequin, elles en sont incapables. »

Jacques ne protesta pas, mais en son for intérieur il était certain du contraire. L'après-midi, il n'avait pas quitté les trois filles de l'œil et savait qu'elles ne s'étaient pas approchées du bûcher. Et il était tranquille pour la soirée jusqu'à l'heure du coucher.

Le lendemain, c'était dimanche, le jour du 14 Juillet. Les attractions de la foire attirèrent tous les enfants, ils assistèrent au défilé. Bélisaire fut promené sur sa charrette. Les Sept pensèrent que leur mannequin, si on ne lui avait pas volé ses vêtements, aurait été beaucoup plus beau. Le soir, l'effigie du brigand fut brûlée en grande pompe. Puis les fusées du feu d'artifice tracèrent de brillants sillons dans le ciel. La fête fut très réussie.

Le lundi matin, Suzie désœuvrée allait et venait dans la maison.

« Allons nous promener », proposa-t-elle à Liliane et à Denise.

Jacques dressa aussitôt l'oreille. Où allaient-elles ? Au bûcher ?

« Je vous accompagne, déclara-t-il.

— Non, merci, répliqua Suzie. Nous n'avons pas besoin de toi. Est-ce que tu t'imagines que nous voulons démolir ton bûcher ? »

C'était exactement ce que craignait Jacques. Il ne put s'empêcher de rougir. Juste à ce moment-là son père l'appela.

« Jacques, viens m'aider à laver la voiture, veux-tu ? demanda-t-il.

— Je... j'avais l'intention de me promener avec les filles, protesta Jacques, consterné.

— Nous pouvons nous passer de lui, papa ! cria Suzie en riant. Au revoir, Jacques, travaille bien ! »

Les trois filles partirent. Jacques pensa à téléphoner à Pierre pour lui recommander de surveiller le bûcher.

« Il faut que je téléphone à Pierre, papa, dit-il. J'ai quelque chose d'important à lui dire.

— Tout à l'heure, répondit son père. Ça ne doit pas être tellement pressé. »

Jacques se mit au travail, rongé d'inquiétude. Dès que le lavage de la voiture fut terminé, il se précipita au téléphone.

« Pierre, c'est toi ? Écoute... Suzie et ses amies sont sorties. Peut-être iront-elles dans le pré. Surveille le bûcher, veux-tu ?

— Bien, répondit Pierre. Merci d'avoir téléphoné. »

Il appela Jeannette.

« Jeannette, c'était Jacques. Suzie, Liliane et Denise se promènent. Il croit que nous devrions surveiller le bûcher.

— Allons-y tout de suite ! » s'écria Jeannette.

Quelques minutes plus tard, ils sortaient du jardin. Le pré était désert. Suzie et ses amies se promenaient ailleurs. Pierre leva les yeux vers le bûcher.

Incapable de dire un mot, il eut un geste de désespoir. Le bûcher était effondré. Les branches avaient été dispersées. Grandes et petites, toutes étaient éparpillées sur l'herbe.

« Elles l'ont démoli, murmura Jeannette, les larmes aux yeux. C'est affreux ! Il était si haut ! Pourquoi Jacques n'a-t-il pas téléphoné plus tôt ? Nous aurions pu chasser Suzie. »

Pierre, très rouge, serrait les poings.

« Il faut que Suzie ait perdu la tête ! déclara-t-il enfin, et il se dirigea vers le bûcher.

— Qu'est-ce que c'est que ce trou ? demanda Jeannette. Suzie et ses amies avaient sans doute une pelle, mais pourquoi ont-elle creusé la terre ? Que manigancent-elles, Pierre ?

— Je ne sais pas, répondit Pierre. Allons téléphoner à Jacques. Attends. Voilà Suzie, Liliane et Denise qui arrivent. Je vais leur dire ce que je pense d'elles. Viens ! »

Chapitre 17

Une pelle et un bouton

Pierre et Jeannette s'avancèrent vers les Trois Pestes. Suzie s'arrêta net, les yeux écarquillés par la surprise.

« Que s'est-il passé ? Pourquoi avez-vous démoli votre bûcher ? demanda-t-elle.

— C'est vous trois qui nous avez joué ce mauvais tour, répliqua Pierre d'une voix tremblante de colère.

— Nous arrivons à l'instant ! déclara Denise avec indignation. Tu le vois bien !

— Alors vous êtes déjà venues, riposta Pierre. Quelles pestes vous êtes ! »

Suzie ne quittait pas le bûcher des yeux.

« Je ne dis pas que nous ne lui aurions pas donné quelques coups de pied, expliqua-t-elle, mais nous ne l'aurions pas complètement démoli. Qui a creusé ce trou au milieu ?

— Ne jouez pas la comédie ! » cria Pierre.

Jeannette brusquement lui saisit le bras.

« Pierre, elles ne jouent pas la comédie ! Elles sont aussi surprises que nous ! Pierre, ce n'est pas elles !

— Pierre ne te croira pas, riposta Suzie d'un ton de mépris. Jacques non plus. Pourtant je ne mens pas. Au lieu de nous chamailler, nous ferions mieux de chercher le coupable. »

Pierre et Jeannette la regardèrent, frappés par l'accent de vérité de sa voix.

« Vous croyez que nous avons pris les vêtements de votre mannequin et votre argent, et que, maintenant, nous avons démoli votre bûcher. Ce n'est pas vrai, je vous en donne ma parole. Venez, Liliane et Denise. »

Toutes les trois s'éloignèrent, la tête haute, laissant Pierre et Jeannette muets d'étonnement. Jeannette retrouva enfin sa langue. Elle se tourna vers Pierre.

« Pierre, elles ne jouent pas la comédie ! Elles n'ont pas démoli notre bûcher et je ne crois pas qu'elles aient fait le reste non plus. En tout cas, Suzie n'a pas volé notre argent.

C'est une autre personne, Pierre, quelqu'un qui nous épie à notre insu.

— Mais qui ? interrogea Pierre déconcerté. C'est une énigme exaspérante !

— Cherchons un peu, conseilla Jeannette. Nous pourrions trouver des empreintes de pas. Je voudrais bien savoir qui a creusé ce trou. Regarde cette grosse motte de terre rejetée sur le côté ! Demandons à Germain s'il n'a rien remarqué.

— Tu as raison. Qui sait où il est ? De temps en temps à cette heure-ci, il donne un coup de main à Émile.

— Il me semble que je l'aperçois dans le bois. Il va peut-être à sa cabane. »

Ils se mirent à courir et, arrivés à la petite cabane, ils appelèrent :

« Germain, vous êtes là ? »

Pas de réponse.

« Je vais entrer », annonça Pierre.

Il poussa la porte. Jeannette le suivit.

« Non, il n'est pas ici », déclara Pierre en jetant un regard autour de lui.

Il faisait sombre dans la cabane, mais, quand ses yeux furent habitués à l'obscurité, il aperçut une pelle et la saisit.

« C'est celle de Germain ! s'écria-t-il. Il y a le nom sur le manche. Il met toujours son nom sur ses outils de peur de les perdre. »

Jeannette fut consternée.

« Pierre, tu ne crois pas que c'est Germain qui nous a joué tous ces tours ? demanda-t-elle d'une voix anxieuse. J'aime bien Germain. Mais quelqu'un a creusé sous notre bûcher et cette pelle porte le nom de Germain.

— C'était peut-être lui qui était devant notre fenêtre l'autre soir. Il a vu que nous laissions la porte ouverte et il a déshabillé notre mannequin. Le pantalon et la veste, bien qu'ils soient si vieux, lui ont fait envie. Et il a pris notre argent aussi ! Non, c'est impossible ! Nous le connaissons depuis des années et papa a grande confiance en lui.

— C'est bien sa pelle, affirma Jeannette. Il ne faut rien dire à personne avant d'être bien sûrs. »

Pierre regarda autour de lui, inquiet et soucieux. Lui aussi aimait bien Germain et ses soupçons lui paraissaient ridicules. Soudain un petit objet rond et brillant attira son attention. Il le ramassa.

« Un bouton ! s'écria-t-il. Regarde, Jeannette, il me semble le reconnaître. Et toi ? »

Oui, Jeannette le reconnaissait.

« Bien sûr, tu te rappelles ? La vieille veste de tweed du mannequin avait des boutons comme celui-ci, jaune et marron. Le voleur est venu ici et un bouton est tombé. Il avait sans doute cette veste sur le dos. Qui était-ce ? La veste est trop grande pour Germain.

— Viens, ordonna Pierre. Retournons à la maison. Nous avons un mystère à éclaircir. »

Chapitre 18

Jacques a une idée

Pierre et Jeannette rentrèrent chez eux, bouleversés et très perplexes.

« Mettons vite les autres au courant, proposa Pierre. S'ils pouvaient apporter des biscuits et des tartines et si maman nous donnait de nouveau de l'orangeade, nous goûterions rapidement avant de refaire le bûcher. Nous avons le mannequin, nous avons des fusées, pas autant que nous l'espérions, mais assez pour un petit feu d'artifice.

— Oui, il faudra nous en contenter », fit observer Jeannette.

Le mardi après-midi, le Clan se réunit

dans la remise, avec Moustique qui manifestait sa joie habituelle. Jeannette avait dit aux filles ce qui s'était passé et les garçons avaient été avertis par Pierre. Ils s'assirent, partagèrent les tartines et les biscuits qu'ils avaient apportés et burent l'orangeade de Mme Dufour.

« Vous savez déjà ce qui nous rassemble, commença Pierre. Notre feu de joie est détruit, mais nous pensons, Jeannette et moi, que Suzie et ses amies n'y sont pour rien.

— Tu as dit que tu soupçonnais Germain ? déclara Colin.

— Non, ce n'est pas lui, affirma Pierre à l'étonnement général. Papa a dit ce matin à maman que Germain était malade et avait été transporté samedi à l'hôpital. Il est hors de cause.

— Alors un vagabond quelconque a vu notre mannequin par la fenêtre de la remise et a volé ses vêtements, ainsi que l'argent, suggéra Jacques. Mais je ne vois pas pourquoi il a détruit notre bûcher. Et pourquoi a-t-il creusé des trous autour et en dessous ? »

Un silence suivit ces paroles. Soudain Jacques se frappa le front. Les autres le regardèrent avec surprise.

« Nous sommes aveugles ! s'écria-t-il. Nous ne sommes que des sots ! »

Ses amis le regardaient avec perplexité.

« Qu'est-ce qui te prend ? demanda Pierre. Explique-toi !

— Je devine, je crois, qui est notre voleur, assura Jacques. Mais oui, c'est clair comme de l'eau de roche !

— Qui est-ce ? interrogea Pierre.

— Qui cela peut-il être, sauf le troisième voleur qui s'est enfui quand les deux autres ont été arrêtés... ceux qui ont volé la grand-mère de Colin. Vous ne comprenez pas ?

— Le troisième voleur, mais... commença Pierre.

— Oui ! Il sait que la police a son signalement, les journaux l'ont annoncé. Il a cherché à se procurer d'autres vêtements et il a pris ceux de notre mannequin, expliqua Jacques.

— Tu as raison ! Il est grand et gros ! s'écria Jeannette. Comme notre Bélisaire !

— Oui... le soir où quelqu'un a regardé par notre fenêtre, déclara Georges, ce n'était ni le jardinier ni Germain, ce devait être le voleur !

— Il avait besoin d'argent et il a pris le nôtre, ajouta Babette.

— Vous ne savez pas ce que je pense ? Je parie que ses deux complices ont enterré les objets volés dans notre pré ! conclut Pierre. C'est pour ça qu'il a creusé ces trous en empruntant la pelle de Germain.

— Puisque Germain était malade, le

voleur doit avoir couché dans sa vieille cabane, dit Pam à son tour. C'est comme cela que le bouton est tombé, il portait la veste de Bélisaire. »

Leur émotion était si communicative que Moustique se mit à aboyer. Pierre le caressa.

« Du calme, Moustique ! Du calme ! Tu pourras aboyer dans un moment. Écoutez, vous tous ! Ce voleur est encore quelque part dans le bois, peut-être dans la cabane. Tout prouve qu'il cherche encore les objets volés, il ne partira pas avant de les avoir trouvés. Par conséquent...

— Il faut avertir les gendarmes ! acheva Jacques. Dépêchons-nous. Il n'est que temps ! Nous aurions dû avoir cette idée plus tôt !

— Dire que nous avons accusé Suzie ! murmura Jeannette. J'ai honte de moi !

— N'oubliez pas que c'est ce soir que nous devons allumer notre feu de joie, intervint Babette. Téléphonons tout de suite à la gendarmerie ou nous n'aurons jamais le temps de refaire notre bûcher, de brûler le mannequin et de tirer le feu d'artifice !

— Au travail ! ordonna Pierre. Je vais communiquer nos soupçons au brigadier. Jacques et Georges, portez le mannequin dans le pré. Pam, tu te chargeras des fusées. Jeannette, n'oublie pas les allumettes. Colin et Babette, bâtissez le bûcher aussi rapidement que possible.

— Bien, capitaine, répliqua Jacques. Moustique, montre le chemin !

— Prenez garde ! cria Pierre en sortant de la remise pour aller téléphoner. Je parie que le voleur n'est pas loin ! »

Chapitre 19

Les événements se précipitent

Chacun obéit aux ordres. Bientôt le mannequin, vêtu d'un vieil imperméable et coiffé d'une casquette, toujours assis dans son fauteuil, fut transporté dans le champ. Pam suivit en traînant le gros paquet de fusées. Jeannette se précipita dans la maison pour y prendre une boîte d'allumettes.

De gros nuages noirs cachaient le ciel ; le temps était si sombre qu'ils durent allumer des lampes électriques.

« Flûte ! s'écria Jacques en sentant quelques gouttes de pluie sur son visage. Nous allons avoir de l'orage ! »

Colin et Babette se mirent à l'œuvre pour rebâtir le bûcher. Ce n'était pas très facile dans la pénombre. Jacques et Georges les aidèrent aussi, quand ils eurent posé sur l'herbe le fauteuil du mannequin. Soudain Colin saisit le bras de Jeannette.

« Regarde, il y a quelqu'un là-bas, de l'autre côté du pré ! » chuchota-t-il.

Jeannette regarda et donna un coup de coude à Jacques et à Georges.

« Ne bougez pas ! dit-elle tout bas. Regardez là-bas ! »

Ils se tournèrent et virent un homme qui creusait avec acharnement. Il ne les avait pas vus de loin, car il leur tournait le dos.

« Le troisième voleur ! chuchota Jeannette. Quelle décision prendre ?

— Faisons semblant de ne pas le voir, conseilla Colin. Surveillons-le jusqu'à l'arrivée des gendarmes, c'est tout ce que nous pouvons faire.

— Porte-t-il la vieille veste de notre Bélisaire ? demanda Pam.

— Je ne sais pas, le temps est trop sombre et il est trop loin, répondit Colin. Mais c'est sûrement le voleur. Bâtissons notre bûcher, mettons notre mannequin dessus, continuons comme si nous n'avions rien remarqué. »

En toute hâte, ils rebâtirent le bûcher, puis ils placèrent le mannequin dans son fauteuil.

« Il fait très bon effet, constata Jacques. Quel ennui, cette pluie ! Je ne crois pas que nous pourrons allumer notre feu ce soir ! Le bois sera mouillé.

— Décidément, nous n'avons pas de chance ! gémit Pam.

— Tais-toi ! L'homme traverse le pré ! dit Colin à voix basse. N'ayez pas peur, Moustique nous protégera. Travaillons, parlons et faisons comme si nous ne le remarquions pas. »

L'homme s'approchait. Pam retint un petit cri. Il portait le pantalon, la veste de tweed, les bottes de caoutchouc et la casquette qui avaient habillé Bélisaire. Moustique se mit à gronder.

« Filez de ce pré ! ordonna le brigand d'une voix rude. Il appartient au fermier. Vous n'avez pas la permission d'allumer du feu ici !

— C'est à mon père qu'appartient ce pré, déclara Jeannette. Il nous a donné la permission d'y dresser notre bûcher. Prenez garde à notre chien, il mord ! »

Moustique s'élança en aboyant. L'homme leva sa pelle. Les enfants crièrent tous à la fois :

« Ne le battez pas !

— Arrêtez ! Ne frappez pas le chien ! Moustique, viens ici ! »

Ce qui se serait passé, personne ne le savait, mais tout à coup deux voitures s'arrêtèrent sur la petite route et les portières s'ouvrirent.

« Les gendarmes ! s'exclama Jacques au comble de l'émotion. Ils sont déjà là ! »

L'homme s'enfuit sous la pluie qui tombait maintenant à verse. Moustique et les six enfants se lancèrent à sa poursuite. Il envoya un coup de pied au chien. Moustique gémit et retourna en boitant auprès de Jeannette.

« Il est là-bas ! » cria Jacques en brandissant sa lampe électrique.

Les gendarmes traversèrent le pré. Soudain des pas précipités se firent entendre. Pierre revenait en courant.

Après avoir téléphoné à la gendarmerie, il avait pris le temps de tout raconter à ses parents. Maintenant il rejoignait ses camarades.

« Les gendarmes sont venus tout de suite ! constata-t-il. Le brigadier m'a fait confiance. Que s'est-il passé pendant mon absence ?

— Le voleur est dans le pré. Il a frappé Moustique, expliqua Jacques. Il est parti par là-bas. Il sera sûrement arrêté puisque les gendarmes cernent le pré. »

Moustique gémissait toujours. Pierre tâta sa patte.

« Je ne crois pas qu'elle soit cassée », constata-t-il.

Le brigadier s'approcha des enfants.

« L'homme a disparu, dit-il. On n'y voit pas

à deux pas à cause de la pluie. Qu'est-ce que c'est que cela, là-bas ?

— C'est notre feu de joie, répondit Pierre. Le mannequin qui est dessus représente Bélisaire. Mais il pleut tant que nous ne pouvons pas le brûler.

— Le voleur a dû s'enfoncer dans le bois, fit observer le brigadier. Ce n'est pas la peine de rester ici. »

Les gendarmes se dirigèrent vers les deux voitures.

« Quel dommage ! murmura Pierre. L'homme doit être déjà loin.

— Non ! cria brusquement Jeannette d'une voix tremblante. Non ! Pierre, il est assis sur notre bûcher ! Il a enfilé l'imperméable de Bélisaire, mais je vois ses bottes de caoutchouc. C'est là qu'il se cache, Pierre ! Il savait que la pluie nous empêcherait d'allumer le feu ! »

Pierre poussa une exclamation et courut au bûcher.

Jeannette ne se trompait pas ! Le voleur se tenait immobile dans le fauteuil de Bélisaire, l'imperméable sur ses vêtements, le masque sur son visage. Il avait poussé derrière lui le mannequin, dépouillé pour la seconde fois.

« Ne bougez pas ! chuchota Pierre. Je vais prévenir les gendarmes. J'emmène Moustique qui pourrait aboyer. »

Chapitre 20

Le feu d'artifice

Pierre traversa le pré en courant. Il agitait sa lampe électrique. Les voitures, sur le point de démarrer, s'arrêtèrent.

« Nous le tenons ! cria le jeune garçon. Il est assis sur notre bûcher. Il a pris la place de notre mannequin. J'en suis sûr ! »

Tout alla très vite. Les gendarmes traversèrent le pré. Le voleur sauta du haut du bûcher et s'enfuit, mais il n'eut pas le temps d'aller très loin. Les gendarmes l'encerclèrent et lui mirent la main au collet.

« Rentrez vite chez vous, mes enfants ! conseilla le brigadier. Ne restez pas sous cette pluie ! Remettez votre petite fête à demain ! Nous ferons des fouilles dans le pré et nous retrouverons peut-être les objets volés avant que vous allumiez votre feu de joie. »

Les Sept regardèrent les gendarmes qui s'éloignaient en emmenant leur prisonnier. Jeannette poussa un soupir.

« Je suis morte de fatigue, gémit-elle. Rentrons. Je suis trempée.

— Quelle aventure ! déclara Pierre. Le pauvre Moustique est blessé. Venez. À demain notre feu d'artifice ! »

Le mercredi à midi, le brigadier téléphona à Pierre. Les gendarmes avaient retrouvé les objets volés dans le pré.

« Et aussi l'enveloppe contenant votre argent dans la poche du voleur, ajouta-t-il. Votre Clan des Sept nous a rendu un grand service. Venez nous voir un de ces jours. Nous vous donnerons des livres qui vous intéresseront. »

Pierre se hâta d'annoncer ces bonnes nouvelles à ses amis.

« Maman vous invite tous à goûter et papa viendra allumer le feu avec nous, conclut-il. Nous n'avons plus qu'à acheter nos fusées. Germain est rentré de l'hôpital. Il a offert de refaire notre bûcher avec du bois sec qu'il prendra dans le hangar. Ce n'est pas tout. Nous n'avons pas été gentils avec Suzie, nous l'avons accusée faussement. Pour réparer, je propose que nous lui demandions de se joindre à nous avec ses amies. »

Tous donnèrent leur consentement et Jeannette se chargea d'écrire une lettre que Jacques remit à sa sœur. Très surprise, Suzie se hâta de décacheter l'enveloppe.

« *Chère Suzie,* lut-elle.

« *Nous regrettons beaucoup de t'avoir dit tant de choses désagréables. Nous serions très contents si Liliane, Denise et toi, vous veniez voir notre feu d'artifice ce soir. Nous avons acheté d'autres fusées. Vous nous aiderez à les faire partir. Venez d'abord goûter dans la remise. Le mot de passe d'aujourd'hui est "Chipolata".*

« *Avec toutes les excuses du Clan des Sept.* »

« Ça, alors ! s'écria Suzie, les yeux brillants. Que vont dire Liliane et Denise ! Assister à votre feu de joie ? Bien sûr, nous acceptons ! Ce sera très amusant de chuchoter le mot de passe !

— Ce n'est que pour cette fois, affirma Jacques. Et tâchez de bien vous conduire toutes les trois !

— Nous serons sages comme des images ! » promit Suzie.

Ainsi Suzie fut autorisée à pénétrer dans la

remise du Clan des Sept avec Denise et Liliane. Mais il n'y eut pas de réunion, simplement un goûter. Elle eut le triomphe modeste et ne voulut pas écouter les excuses qui lui furent présentées.

Tous firent honneur à la brioche et à la tarte aux prunes que Mme Dufour avait préparées avec l'aide de Jeannette.

Quand il ne resta plus une miette de gâteau ni une goutte d'orangeade, tous coururent au pré et M. Dufour alluma les bûches.

Les flammes crépitèrent joyeusement et montèrent très haut. Le vieux Bélisaire, qui avait de nouveau sa veste, son pantalon, ses bottes et sa casquette, était placé tout en haut du tas de bois. Une fusée vola près de son oreille.

« Bélisaire rit ! cria Jeannette en dansant autour du feu de joie. Il est content d'avoir bien chaud ! »

Sss !... boum !... Sss !... les fusées éclataient l'une après l'autre et retombaient en pluie de feu. Les « ailes de moulin » tourbillonnaient, les feux de Bengale de toutes les couleurs illuminaient le ciel, des gerbes d'étincelles rivalisaient d'éclat avec les étoiles, les « chandelles romaines » s'élançaient tout droit vers un croissant de lune.

Quelqu'un manquait à la fête. Moustique, qui n'aimait pas le bruit des fusées, avait pris prétexte de sa patte bandée pour rester à la maison.

Adieu, Clan des Sept ! Adieu, Pierre, Jeannette, Georges, Pam, Colin, Jacques, Babette ! Adieu, Suzie ! C'est dans une apothéose de lumières et de couleurs, c'est au milieu de cris de joie que nous prenons congé de vous.

Table

Dans la même collection…

Mademoiselle Wiz,
une sorcière particulière.

Mini, une petite fille
pleine de vie !

Fantômette,
l'intrépide
justicière.

Avec le Club des Cinq,
l'aventure est toujours
au rendez-vous.

Kiatovski,
le détective en baskets
qui résout
toutes les enquêtes.

Dagobert,
le petit roi
qui fait tout à l'envers.

Rosy et Georges-Albert,
le duo de choc
de l'Hôtel Bordemer.

Avec Zoé,
le cauchemar devient
parfois réalité.

Composition *Jouve* – 53100 Mayenne

Imprimé en France par ***Partenaires Book*** ® JL
n° dépôt légal : 75447 - août 2006
20.20.1217.01/7 ISBN : 2-01-201217-5

Loi n° 49-956 du 16 juillet 1949
sur les publications destinées à la jeunesse